U0255587

湖岸 Hu'an

Das große Buch der Tiere
Ein Zoodirektor erzählt

Henning Wiesner
Günter Mattei

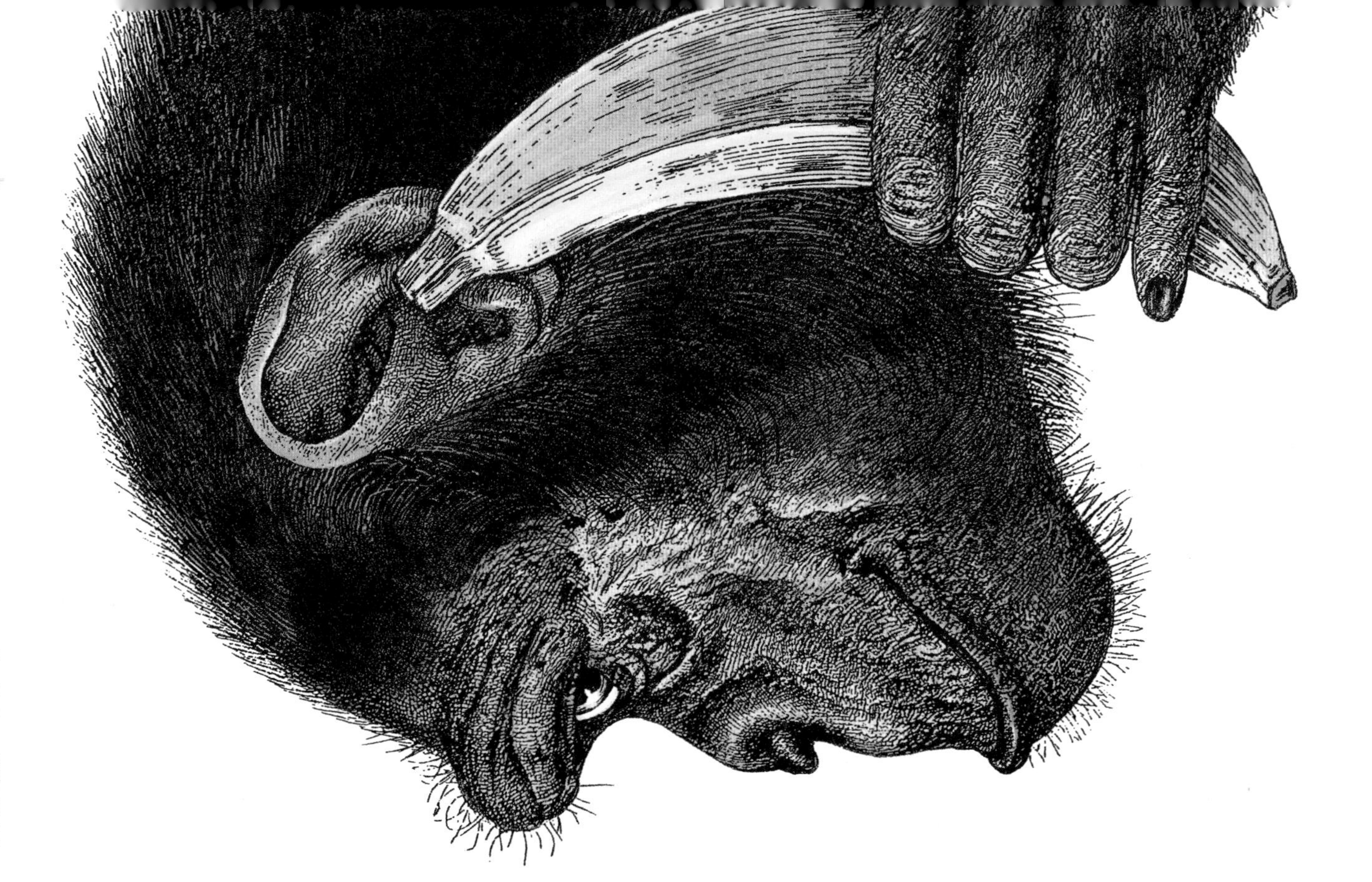

在动物园散步才是正经事 01

[德] 亨宁·维斯纳/著
[德] 君特·玛泰/绘
王萍 万迎朗/译

园长带你逛动物园

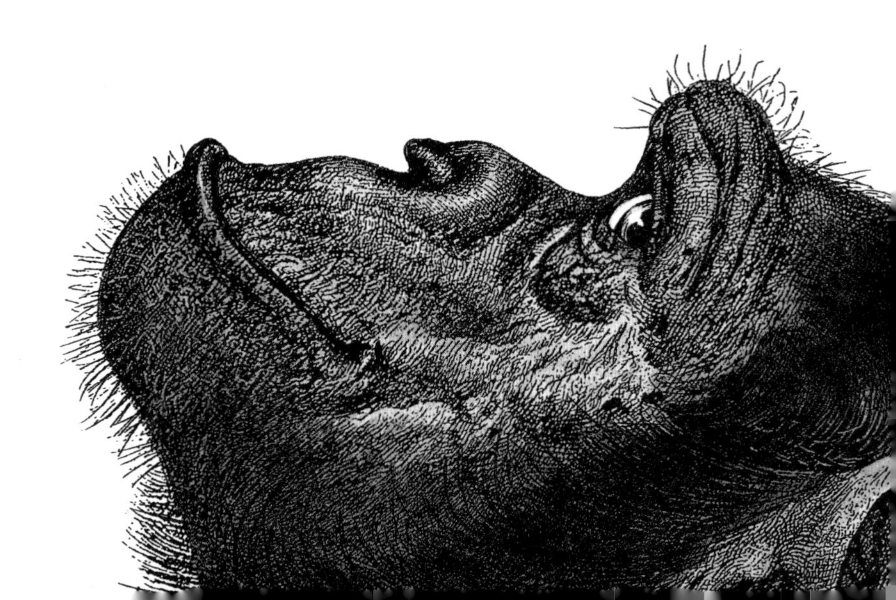

中信出版集团 · 北京

图书在版编目（CIP）数据

园长带你逛动物园 /（德）亨宁·维斯纳著；（德）君特·玛泰绘；王萍，万迎朗译. -- 北京：中信出版社，2019.1

（在动物园散步才是正经事）

ISBN 978-7-5086-9770-3

Ⅰ.①园… Ⅱ.①亨… ②君… ③王… ④万… Ⅲ.①动物—儿童读物 Ⅳ.① Q95-49

中国版本图书馆 CIP 数据核字（2018）第 270442 号

Title: DAS GROßE BUCH DER TIERE

Author: Henning Wiesner

Illustrator: Günter Mattei

园长带你逛动物园

（在动物园散步才是正经事 01）

著　　者：［德］亨宁·维斯纳

绘　　者：［德］君特·玛泰

译　　者：王　萍　万迎朗

出版发行：中信出版集团股份有限公司

（北京市朝阳区惠新东街甲 4 号富盛大厦 2 座　邮编　100029）

承 印 者：北京尚唐印刷包装有限公司

开　　本：889mm×1194mm　1/12　　印　　张：12　　字　　数：100 千字

版　　次：2019 年 1 月第 1 版　　印　　次：2019 年 1 月第 1 次印刷

京权图字：01-2018-8254　　广告经营许可证：京朝工商广字第 8087 号

审 图 号：GS（2018）6016 号

书　　号：ISBN 978-7-5086-9770-3

定　　价：148.00 元

出品 中信儿童书店

图书策划 中信出版·优势教养 | 湖岸

策划编辑 张芳　　特约编辑 王迎 张瑾

出 品 人 唐奂　　营销编辑 张怡琳

产品策划 景雁　　封面设计 裴雷思

责任编辑 卜凡雅　　美术编辑 崔玥 韩雨颀

第五章 比我们年长一万倍的动物：漫长的动物演化史

第六章 牛和羊一直都是我们的好伙伴吗？家畜养殖的历史

第七章 人为什么是不同的？对演化的思考

附录

洞里的鼹鼠
听到云雀欢唱
不以为然，称天下最无聊的事
乃是唱歌和飞翔！

埃马努埃尔·盖伯尔（Emanuel Geibel）

在动物园散步的意义

生命是如此神奇，但我们离自然的距离越远，对它的感受和想象力就越贫乏。充斥着大量图片和信息的现代媒体令我们目不暇接，疲于应付，生活经验愈加有限。尤其对于孩子们来说，他们和动物之间缺乏直接、真切的接触。现代的动物园旨在让游客在贴近自然的环境中亲身观察各种各样的动物和它们千奇百怪的行为。一个独一无二的全新世界在孩子们面前打开，等待着他们去探索去征服。**小象用长鼻子轻柔地卷走孩子手里的苹果；巨蟒轻舔一下孩子畏畏缩缩伸出的小指头。**相信这样的奇遇会让孩子们终生难忘，比千言万语更容易加深他们对大自然的理解。只有被自然打动的人才更懂得珍爱和保护生命与自然，现代动物园在这点上创造了必要的条件。

通过不同的自然保护项目，动物园在全世界范围内为保育濒危动植物做出了重要贡献。在过去的30年里，我们慕尼黑海拉布伦动物园也成功地保护了大量濒危动物，进行了不少动物培育以及重新引种项目，涉及的动物包括老虎、美洲豹、红毛猩猩、野狗、海龟，还有普氏野马、阿尔卑斯北山羊、穆霍尔瞪羚和朱鹮。一个现代的动物园不仅要争取再现一个逼真的自然环境，让人理解什么是大自然——为自然保护做出重要贡献；同时还要考虑通过友好恰当的方式来传播一些关于自然界的科学知识以惠及大众。

20年前我们开始在大型彩色图板上介绍慕尼黑海拉布伦动物园（简称为慕尼黑动物园）里的动物们，想通过这些生动有趣的故事向大家全面讲述一个“理想的动物园”。我们非常重视充满想象力的图片，它将建立在严谨学术基础之上的简洁易懂的文字阐释变得更加直观。这些文字旨在激发孩子的兴趣和好奇心，同时对很多成年人也不乏吸引力。动物园游客们能借此获得更深刻而持久的印象。早期的图板通过丝网印刷及油墨颜料完成，是独一无二的艺术品。在广大教育工作者和游客的鼓励下，我们以它们为基础修订并增补而成了本书。书中我们特意将动物园内生动的故事和形象的插图穿插在一起。它所讲述的也正是游客们期望在动物园里收获的：动物园历险记！

亨宁·维斯纳

君特·玛泰

自古以来
我们为动物忙得不亦乐乎
动物却对我们不屑一顾

尤根·罗斯（Eugen Roth）

第一章

动物园，
最后的生存空间

如果物种只剩下极少个体，而人们又想通过这些“最后的莫希干人”重建种群，就会遇到群体遗传学学者所提出的“瓶颈效应”。没有基因缺陷的种群要通过“瓶颈”并不那么困难。欧洲野牛、普氏野马、穆霍尔瞪羚、阿尔卑斯北山羊、胡兀鹫等等就是这类“最后的莫希干人”，动物园是它们得以幸存的乐土。

火线抢救

旧石器时代西班牙阿尔塔米拉洞窟的欧洲野牛壁画

对欧洲本土的大型野生动物——欧洲野牛的抢救和培育工作成为动物园历史上的里程碑。在20世纪，欧洲野牛尚有两大亚种：一类是分布在高加索的高山亚种，体型较小；另一类是生活在波兰原始森林的平原亚种，体型较粗壮。1921年，最后一头野生的野牛遭到猎杀。当时，幸存在动物园和森林公园里的两类亚种野牛加起来仅56头，人们在此基础上成立了欧洲野牛国际保护协会。1932年出版的第一本《欧洲野牛繁殖手册》也成为后世繁殖濒危物种的指南。

这群野牛的老龄化及由此导致的繁殖力低下是最初的难题，人们只能让它们和美洲野牛及波兰平原野牛杂交。欧洲野牛既能和家牛也能和美洲野牛成功交配，它们的后代同样可以交配繁殖。根据遗传选育的原理，留下雌性继续与血统纯正的欧洲野牛配种。经过数代选育，就能从外来血缘中重新得到真正的欧洲野牛。这期间产生出一些奇怪的杂交种，它们看上去和欧洲野牛大不相同，更像是漫画书中的形象。20世纪40年代末期，人们终于幸运地培育出纯种欧洲野牛，并将那些杂交种从谱系中剔除出去。在那本繁殖手册里，人们就只选取那些家谱中没有出现这类杂交种的野牛进行繁殖。

左侧：平原亚种野牛，马肩隆高约2米，毛发直顺
右侧：高加索高山亚种，马肩隆高约1.6米，毛发微曲
当今欧洲野牛的身上兼有这两个亚种的血脉

波兰的比亚沃维耶扎国家森林公园是野牛的原产地，纯种的欧洲野牛在这里重返故园

纯种的平原亚种野牛　　纯种的高加索亚种野牛

欧洲野牛与美洲野牛杂交后代　　欧洲野牛和美洲野牛与美洲野牛和波兰平原野牛的杂交后代

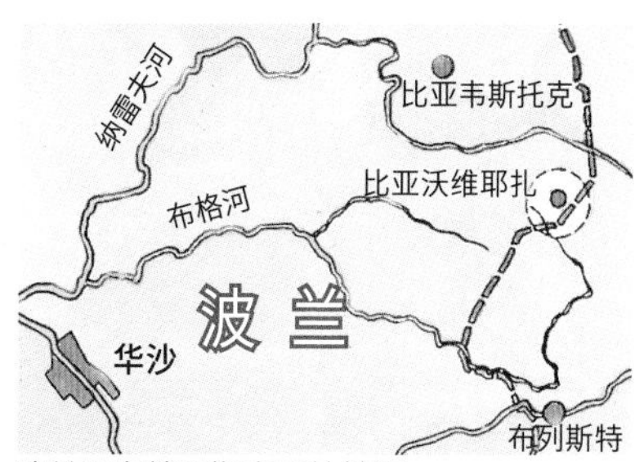

波兰和白俄罗斯交界处地图
（此书中插图系原文插图。——编者注）

欧洲野牛的保育计划中还有一个非常重要的环节：1952年人们将这些动物迁移到波兰的比亚沃维耶扎国家森林公园。这一小支种群迅速繁殖，其规模甚至已经达到必须通过狩猎来调控的程度。

穆霍尔（mhorr）一词源自阿拉伯文，用以形容背部的深褐色。在摩洛哥的半沙漠地带中，穆霍尔瞪羚这种看来显眼的颜色配上浅色肚皮后反而是非常完美的保护色，能让身体轮廓在升腾的热气中若隐若现。

这是什么动物？

A.骆驼　B.穆霍尔瞪羚

穆霍尔瞪羚重返故乡

撒哈拉边缘地区的热带稀树草原曾经是鹿瞪羚的故乡。鹿瞪羚共有三个亚种。穆霍尔瞪羚是生活在最西部，且颜色最深的一个亚种。它体态优雅，毛色亮丽，格外惹人喜爱。自1968年以来，它在野外已灭绝。为保育撒哈拉动物物种，共有11头穆霍尔幼羚于1971年被收入西班牙南部的阿尔梅里亚饲养场。今天，共有200余头穆霍尔瞪羚生活在世界各地的动物园中，它们皆由此繁殖而来。

我们同德国技术合作公司（GTZ）、法兰克福动物园和柏林动物园进行了一个合作项目，旨在将鹿瞪羚从海拉布伦动物园重新引种回突尼斯和摩洛哥的国家公园。得益于这项卓有成效的工作，自1997年以来已有60多头穆霍尔瞪羚回到原产地。尽管它们在欧洲动物园里已繁衍数代，有些甚至还是用奶瓶喂大的，但我们的穆霍尔瞪羚极顺利地适应了全新、陌生的环境。它们甚至无视预设的饮水处，完全恢复了半沙漠之子的本色——从食物中获取所需水分。仙人掌的叶状茎和沙漠南瓜的果实正是它们的主要水分来源，后者因其苦涩连家畜都不愿问津。瞪羚还能灵巧自如地从长满尖刺的金合欢树上取食嫩叶，且毫发无伤。这正是它们祖先的主要食物来源。

要是你知道穆霍尔瞪羚对欧洲青草饲料有多么挑剔，就会更惊讶于它们这种显然靠基因存储下来的“知识”。刚刚将这些小家伙放生到野生动物保护区一天后，它们就已经跑出去100多米！看来我们的穆霍尔瞪羚在它们祖祖辈辈曾经繁衍生息的地方已很快找到了家的感觉。

被啃食的仙人掌

沙漠南瓜

金合欢树

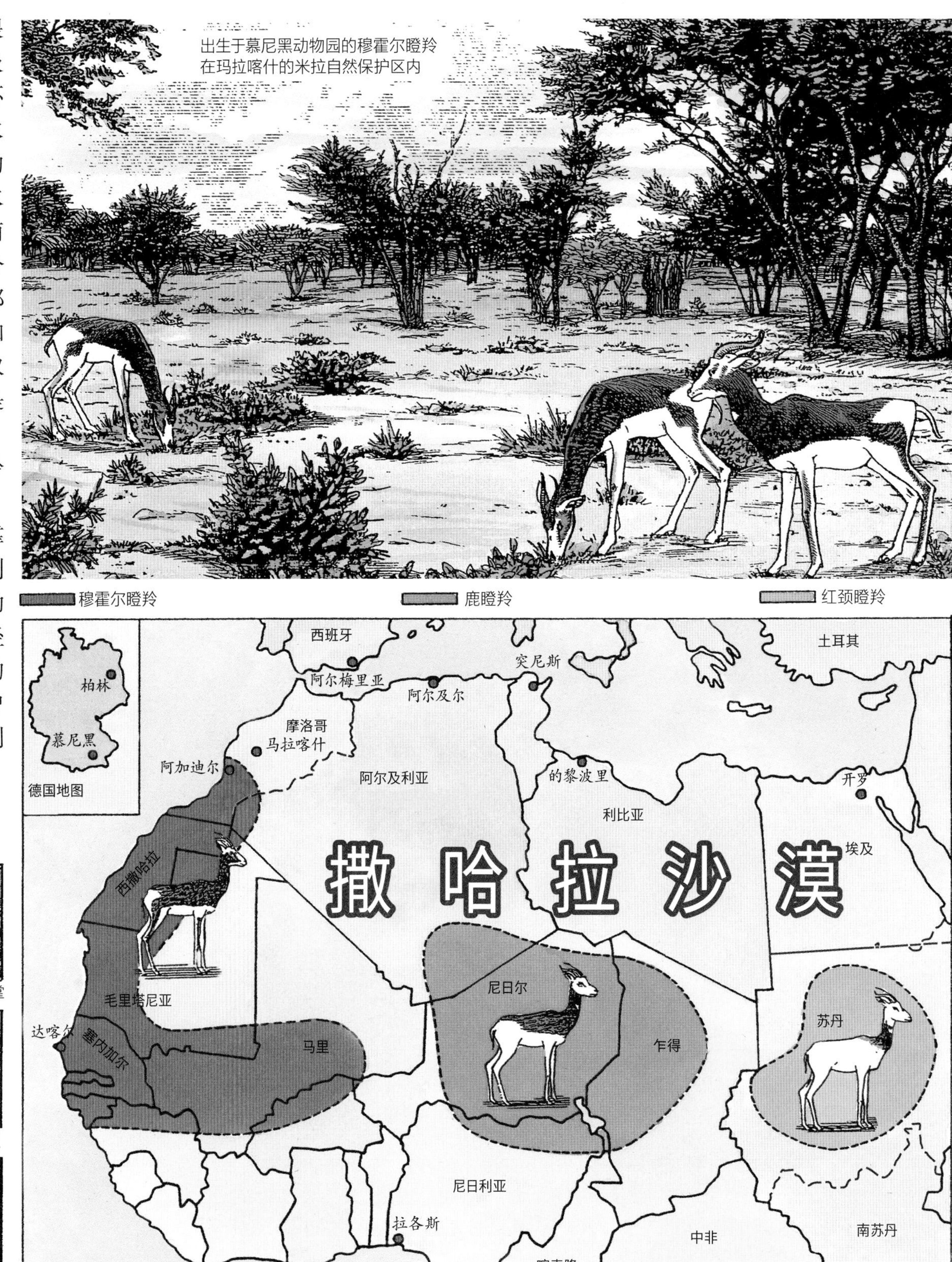

直到今天，人迹罕至的大阿特拉斯山区的森林里还生活着一小支家牛群，它们至少在颜色上近似于野生祖先，像是其缩小版。最近也有类似动物出现在阿尔巴尼亚的报道中。

原牛
能复活吗?

20世纪30年代，汉克兄弟在慕尼黑和柏林实现了他们的设想：让带有原始遗传特征的家牛杂交，从而培育出和原牛在很多性征上类似的牛。可无论如何，杂交牛与1627年就已灭绝的原牛相比，牛角更细长，前额骨更薄弱，身高也没有达到180厘米。然而把它做成“活标本”却具有重要教学意义，可以再现所有家牛的野生祖先——原牛的直观形象。这种“类原牛”同时为野生动物驯化所产生的改变做出了最佳范例。一旦灭绝，物种不可能通过“逆向育种”来重获新生，它们只能就此永远消失。

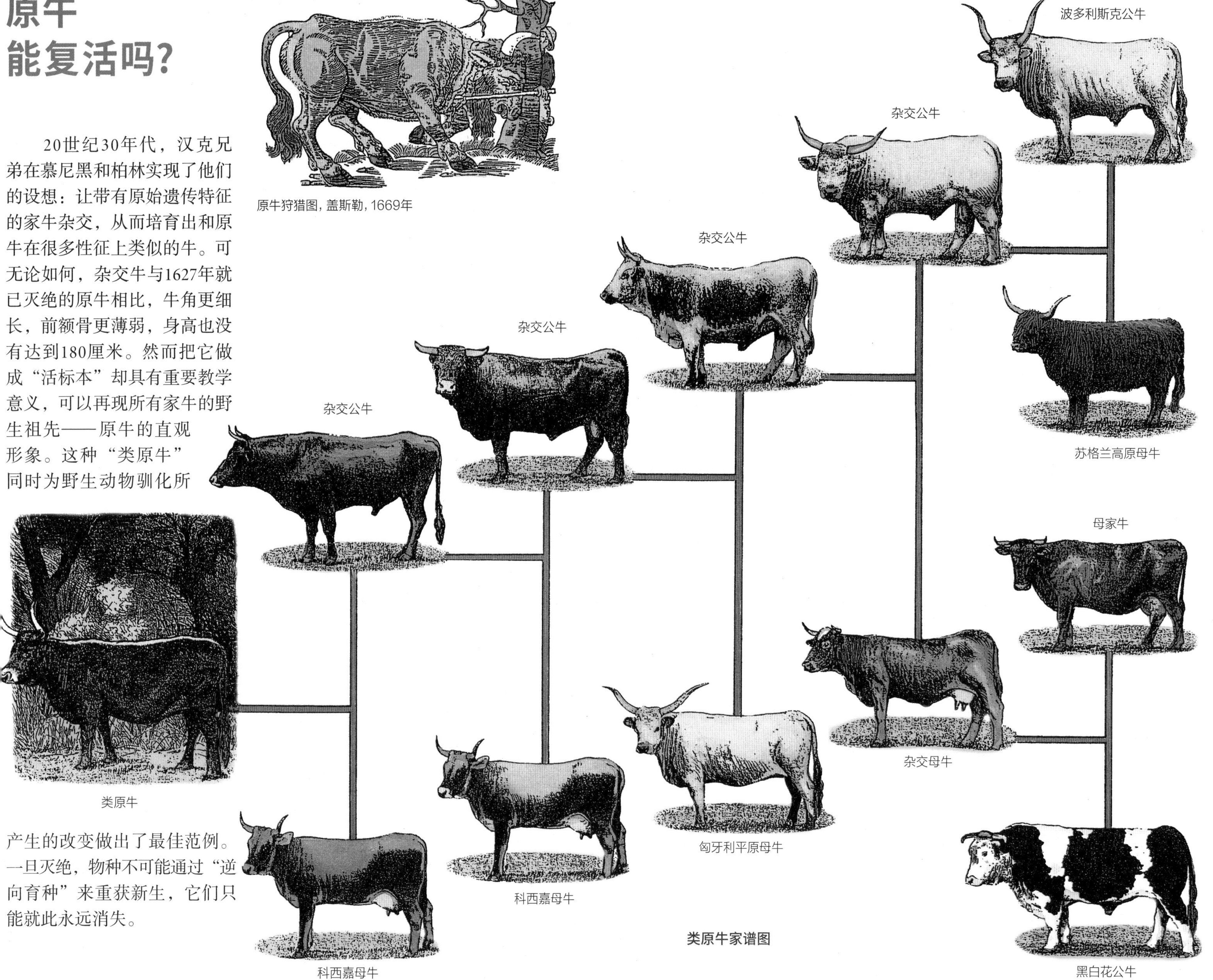

原牛狩猎图，盖斯勒，1669年

类原牛

类原牛家谱图

人们可以用发掘出的遗骨拼出古生物的完整骨架，重现古生物的大小和形状。20世纪30年代，卢兹·汉克和汉兹·汉克兄弟在柏林动物园和慕尼黑海拉布伦动物园成功地通过家畜“还原”了原牛和欧洲野马。进化生物学有“永久灭绝”的定论，但这类“活标本”能使人产生极其直观的印象，让我们认识到家畜的祖先究竟是何种模样。

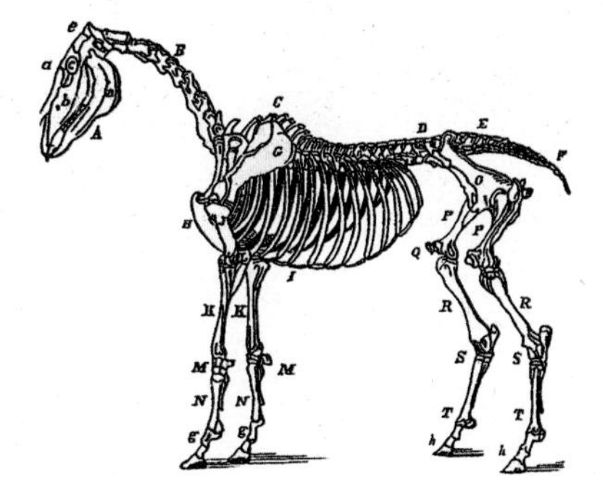

欧洲野马重生

鼠灰色的欧洲野马原生于跨越欧亚的森林和草原地带，也被称为俄国野马，于1876年灭绝。通过类似于原牛的逆向育种实验，海拉布伦动物园经理汉兹·汉克挑选带有原始特征的家马，如哥得兰马和冰岛矮马与纯种的雄性普氏野马杂交，并用杂交所得的公马和母马继续繁育，最终得到想要的特征——鼠灰色、腿部有黑色斑马纹，沿背脊有一道深色的条纹。

石器时代欧洲野马的石刻画

人们还能在其他较原始的马的品种中找到和欧洲野马相似的颜色和特征，比如西班牙马、波兰马、喀尔巴阡山脉野马、迪尔门野马。然而，人们直到现在都不曾培育出野马特有的立鬃。欧洲野马和原牛的逆向育种培育出的并不是真正的野生动物，而是家畜祖先的“活标本”。

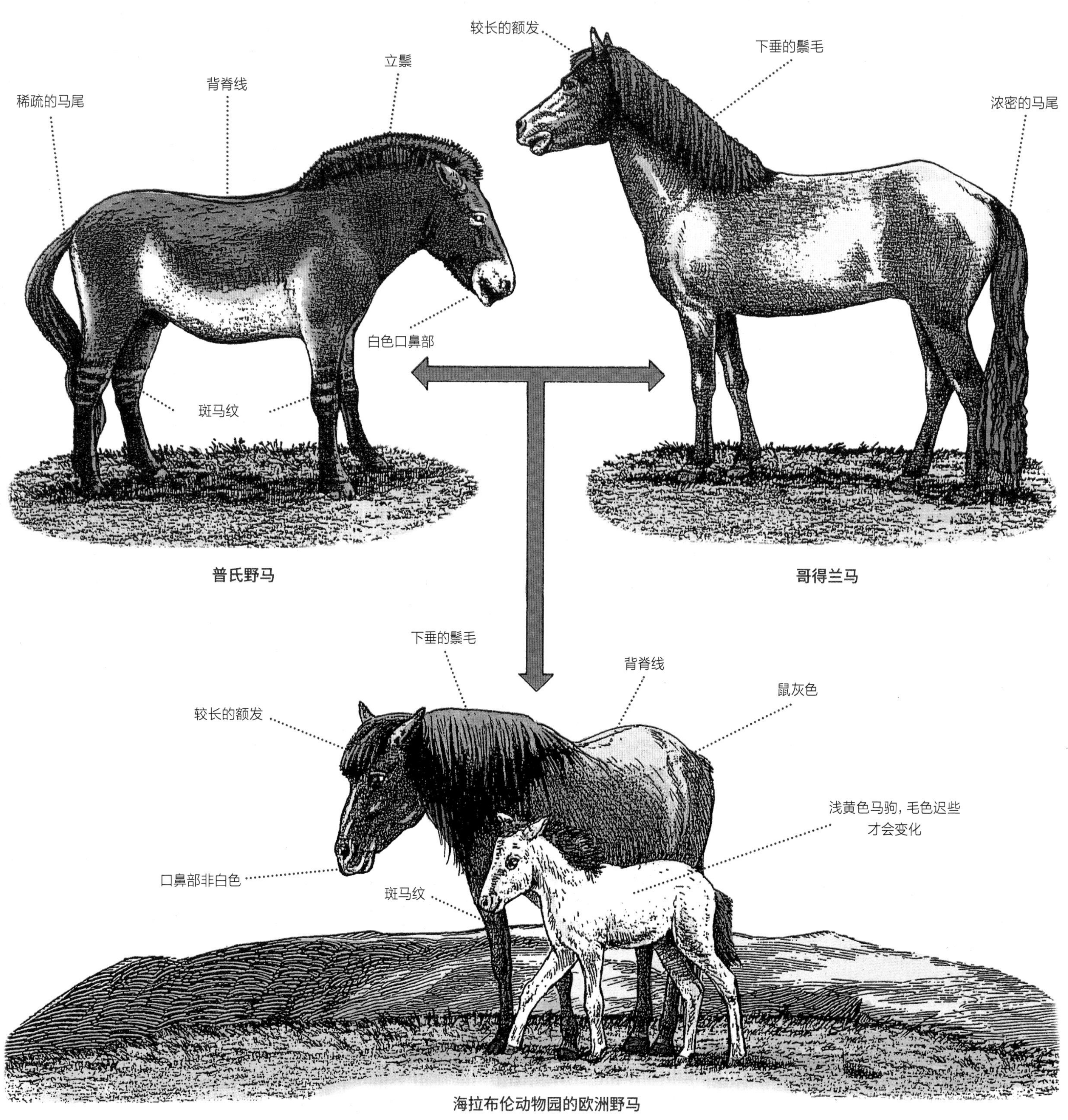

海拉布伦动物园的欧洲野马

我们在委内瑞拉帮助保护美洲豹，同样也在哥斯达黎加支持另一项保护计划。在这里，国际野生动物学家工作组帮助放养那些被政府查收的美洲豹猫和长尾虎猫，它们均是美洲豹的近亲。

动物园保护委内瑞拉美洲豹

被当地人尊称为“新大陆虎”的美洲豹是南美洲最大的食肉猫科动物（可重达160千克），它能用强有力的下腭和牙齿轻而易举地咬碎牛犊头骨。美洲豹猎食种类丰富，从鱼类、鸟类、乌龟、凯门鳄一直到白尾鹿和貘都能成为它的美餐。有时甚至连美洲狮都会落入“虎”口。尽管美洲豹食源广泛，但不难理解它们还是乐意将手到擒来的家畜纳入菜单，它们经常袭击委内瑞拉的克里奥罗牛的牛犊，该牛的特征是带有瘤牛般的驼背。直到今天，养牛场附近的美洲豹还是会被毫不留情地猎杀。另外，尽管有动物保护条例，仍有人一如既往地在黑市上用美洲豹皮牟取暴利。

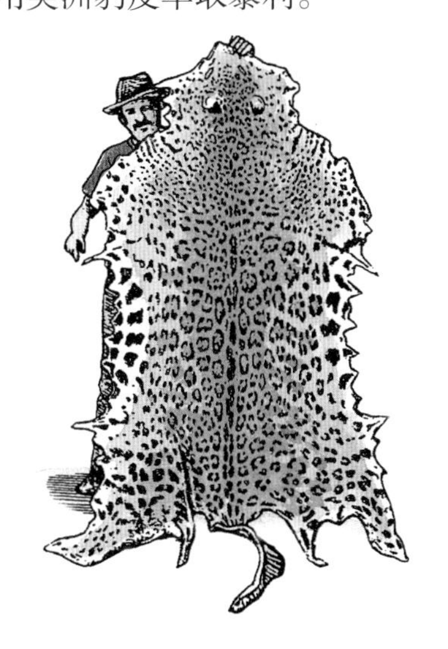

牧场里的克里奥罗牛，“新大陆虎”的美味佳肴

以前，美洲豹被视作“家畜偷盗者”而会被猎杀

现在它会被“海拉布伦配方”麻醉

再被放生到原始雨林

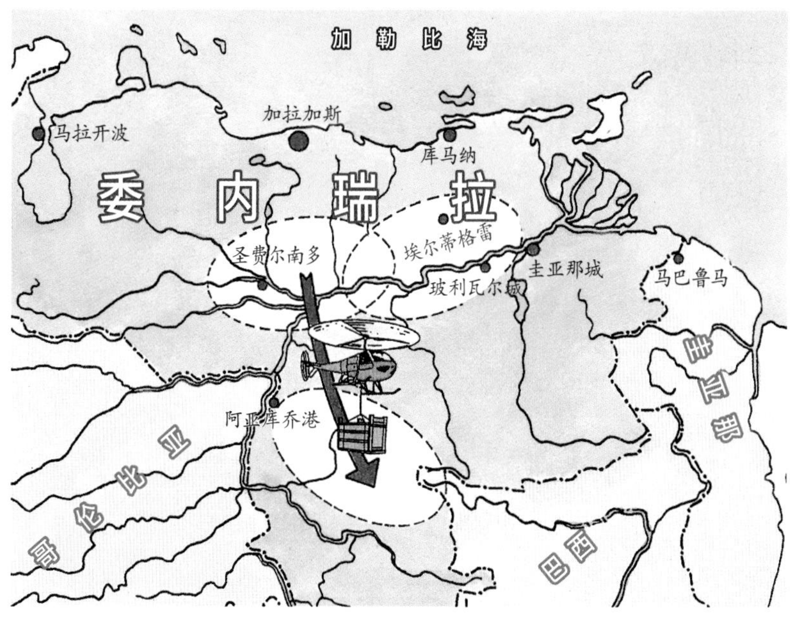

1994年，慕尼黑动物园、德国技术合作公司和在加拉加斯的非政府动物保护组织（Servicio Autonomo Profauna）合作，为委内瑞拉野生生物学家和猎场看守人制订了一项为当地动物重新安家的特殊计划。当然，主要是为解决“新大陆虎”的保护问题。这些“家畜偷盗者”们不会被猎杀，而是被麻醉，再由直升机从畜牧地区运送到委内瑞拉南部的原始雨林。毫无疑问，这一举措代价高昂，但动物园工作者们仍感到无比骄傲，因为自己为保护濒临灭绝的“大猫”做出了积极贡献。

美洲豹的食谱

人们只有通过一定练习才能学会如何使用吹箭筒，并用它命中目标。因为，它是动物园兽医和野外生物学家不可或缺的工具。

毒箭和吹箭筒

许多民族都各自发明了使用吹箭筒狩猎的方法。吹箭筒在南美洲的印第安人和婆罗洲（加里曼丹岛）的达雅克人那里得到广泛应用。居住在奥里诺科河流域的皮亚罗亚人使用苔草制作吹管，苔草茎可长达6米，且中间没有分节。他们还利用树脂和蜡来黏合吹嘴。制作完成的吹管是一件精美的装备，射程远达30~40米，也成为很受欢迎的商品。毒箭则是由一种特殊棕榈树的叶脉制作，植物的种子纤维经过揉搓加工后被做成箭尾的平衡器。

这种约40厘米长的毒箭能悄无声息地击中目标，其精确度也令人咋舌。箭头被抹上多层箭毒，制作时要不断用火烘干。猎手还要在距箭头大约2厘米处刻下凹痕，当需要把箭拔下时就可以从这里折断箭杆，让有毒的箭头留在猎物体内。借助这种无声的武器，印第安人能从一群鹦鹉或吼猴中一只只地捕获猎物，而不会因为射击声惊走它们。慕尼黑射击技术检查局曾用光栅测速法测量过箭矢的速度，这种重约1.5克的毒箭时速竟可达180千米。

穿着猎装正在打猎的皮亚罗亚人

不同印第安部落有不同的箭毒配方。其中最可怕的要数来自箭毒蛙的毒素。一旦遇到危险和刺激，毒蛙背部的皮肤腺就能分泌出胶状物，这可是剧毒！一只毒蛙所产生的毒素足以毒死2万只老鼠或10个人。人工饲养毒蛙的皮肤腺分泌物中不含这种毒素，人们因此怀疑，可能是它们在野外摄取食物中的细菌合成了毒液。

毒蛙背部的皮肤腺

马钱子

还有印第安部落用马钱子的树皮和果实汁来制作另一种著名箭毒，毒液在按照秘方熬制后再涂抹于箭头上。这两种箭毒都能麻痹动物神经，却不会随着食物被肠胃吸收。因此，猎手们大可放心食用到手的美味猎物。

飞行注射器

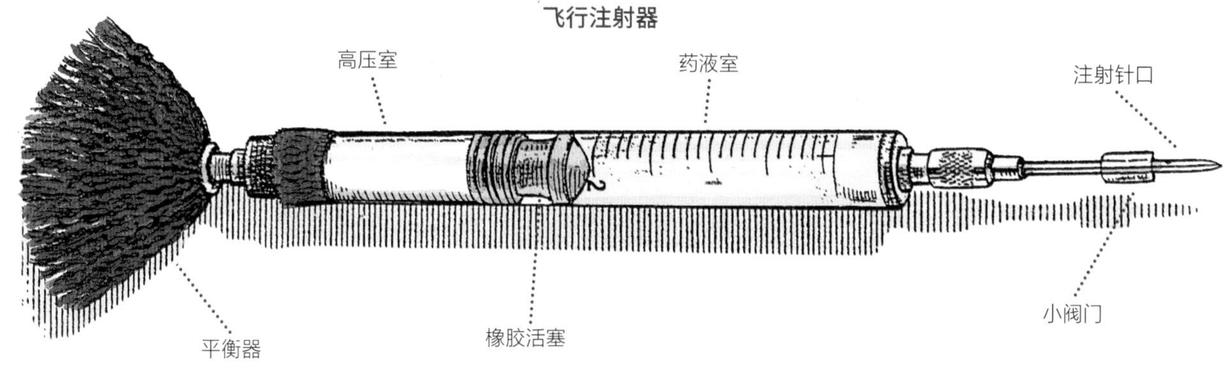

动物园里也配备了吹管式远程注射装置，其箭矢重约6克。一位优秀的射手能射出时速达92千米的箭矢。当击中目标时，动物的肌肉组织将阻挡针头上的小阀门，把它推向后面以打开注射针口。同时，在高压室内储存的压缩气体把黑色活塞向前推进，从而将装载的液体注射入动物体内。根据目标动物的体重和种类，针管中装有不同药剂，比如“海拉布伦配方”，针管和针头都能重复使用。技艺高超的熟练射手可以在20米外把一头马鹿毫无疼痛地送入梦乡。如果使用在手柄中装有二氧化碳气瓶的气枪，则可在约60米内精确地击中目标。

“海拉布伦配方”

简单且安全的“远程麻醉”对动物园兽医来说至关重要。许多野外项目都是借助这种巧妙的方法完成的，从而让我们对野生动物的生活和行为方式获得新的认识。由我们发明研制的“海拉布伦配方”是对动物特别温和的麻醉药剂。在3420例麻醉中只有12例死亡，死亡率仅为0.35%。

全世界都在用

“海拉布伦配方”

从20世纪70年代初以来，海拉布伦动物园（对，就是我们动物园）就全力研究更利于野生动物保护的麻醉法。一方面，我们研发的特殊吹管麻醉法已投入使用；另一方面，还同时研制出与之配套的麻醉药剂配方，能通过吹管注射器让动物无痛进入麻醉状态。“海拉布伦配方”安全适用于200多种爬行动物、鸟类及哺乳动物。

完成注射后，针头将自行脱落，短短几分钟后动物们就在浑然不觉中进入梦乡。在给它们静脉注射苏醒药后，它们又能很快清醒过来并完全恢复正常。现在，“海拉布伦配方”被广泛应用到全世界，为动物保护做出了不小贡献呢。

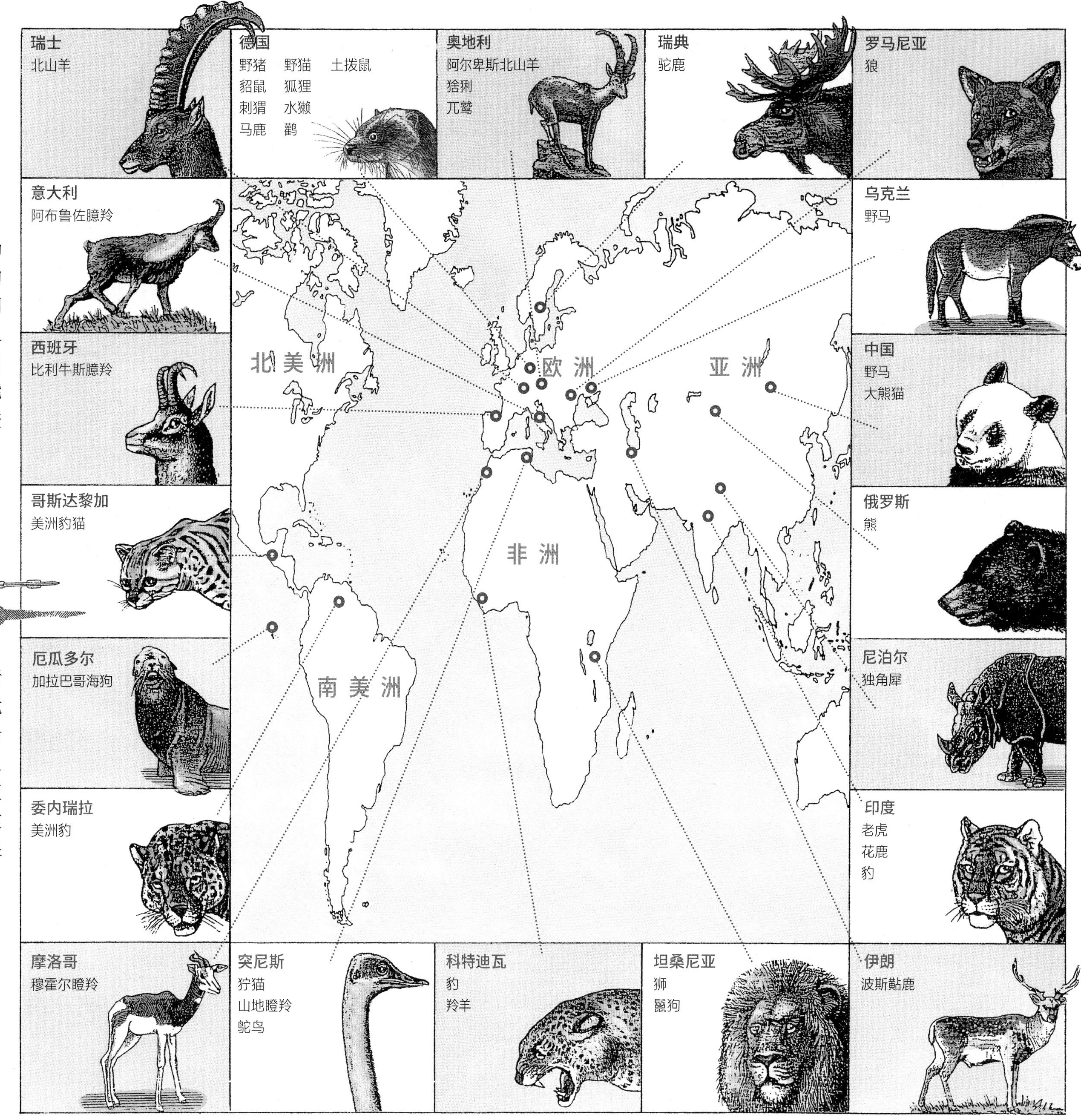

有个家伙

吭哧吭哧爬上树梢

扬扬得意，自以为是只会飞的鸟

真是笑死人了！

威廉·布施（Wilhelm Busch）

第二章

鸟为什么会飞翔？动物的特长

从技术角度来看，羽毛是一项大自然的杰作。它们和我们的头发一样是由角质构成的。角质是高弹性的保证，否则羽毛在重压之下将产生变形。鸟类舒展羽毛，这样能在“羽毛外衣”中储存空气，形成绝妙的隔热层，以防止热量流失。

鸟儿为什么会飞翔？

飞行最重要的前提条件是翼的曲面形状。这基于一个简单的物理原理：当翅膀平稳地从空气中划过，空气从弯曲的上表面通过时将比从下表面经过更长的路程。因为空气到达翅膀末端的时间必须相同，上表面通过的空气将快于下表面，上表面形成

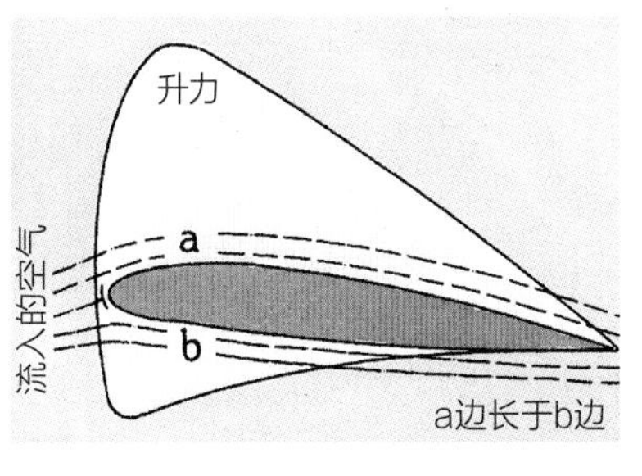

负压力的同时，下表面因较慢的气流速度而形成正压力，升力也就因此产生。重达数吨的飞机也是利用同样原理如小鸟般在空中飞行。这种“升力效应”还可以用一个小实验来验证：用食指和拇指抓住一张纸的边

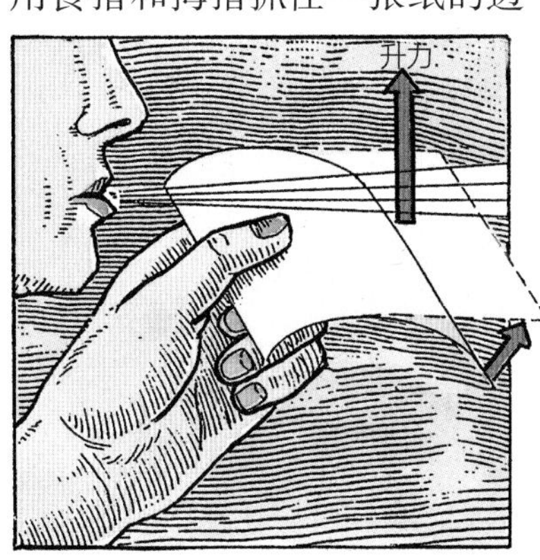

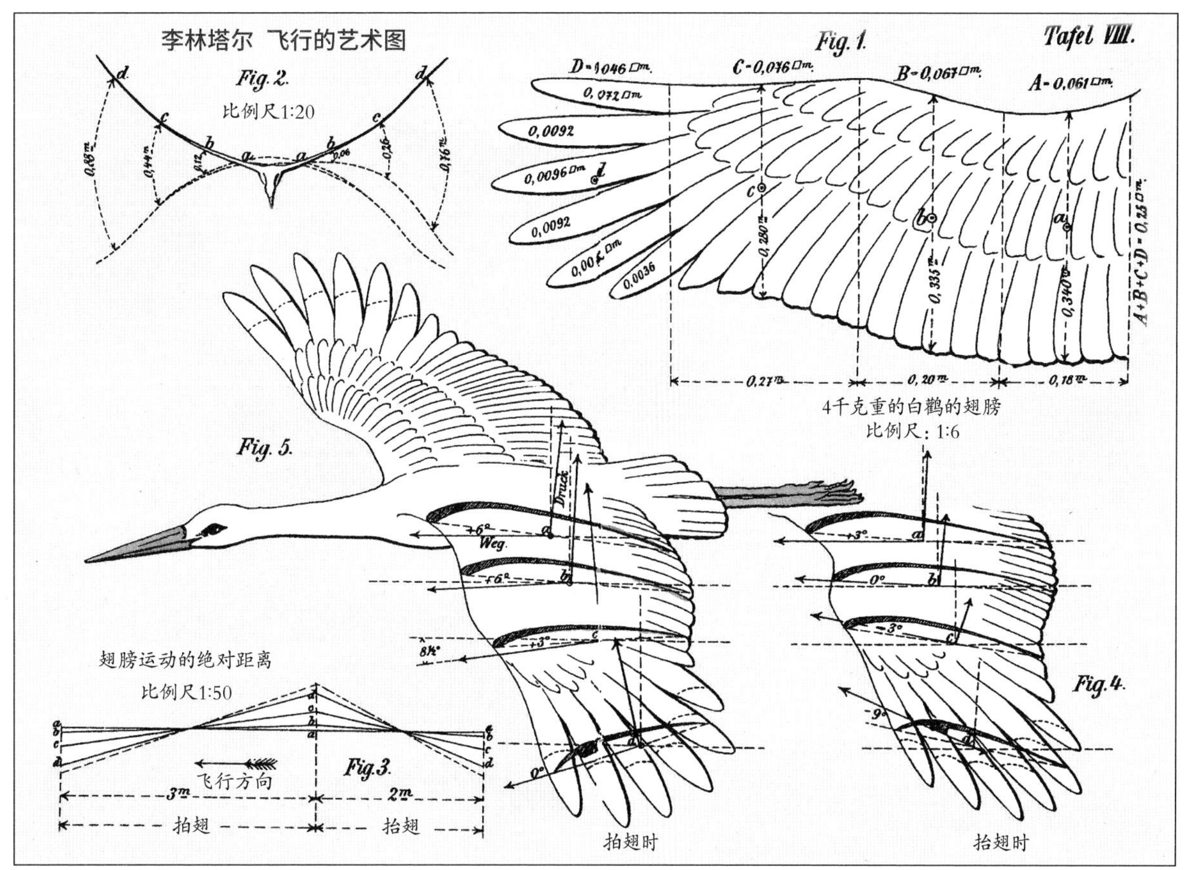

李林塔尔对飞行中白鹳的几何学描述

缘，并在其上表面用力吹气。这样，纸片就会因“升力效应”飘向气流流动较快的一面。

德国人奥托·李林塔尔（1848—1896）是最早了解鸟翼特殊结构的意义，并对其进行系统研究的先驱者之一。他对飞行中的鹳的几何学描述以及许多其他研究成果直到今天都还有指南针式的意义。李林塔尔参照鸟类翅膀的曲线绘制出滑翔机的蓝图。他成为第一位完成短途飞行的人。

和飞机在技术上相对简单的机翼不同，鸟类翅膀可是自然界的奇迹。当翅膀上下拍动时，弹性极好而又坚韧的羽毛会改变其形状与位置，以最佳角度划过空气。在这一过程中产生的作用力变化非常复杂，即使用现代流体力学试验也不能测定。

我们如果仔细观察动物园里美洲红鹳落地的姿态，就可以更好地理解鸟类控制每根羽毛的意义。特别是生长在前肢第四指节处的“翼尖飞羽”，它的形状明显弯曲，能如喷气发动机一样把空气加速，并引导气流通过翅膀的上表面。这和飞机前缘襟翼的形状一致。前襟翼可避免因提前分开气流而造成的飞机坠毁。竖起的尾羽则和飞机方向舵和升降舵作用相仿。但对那些尚未熟练掌握技术的“菜鸟”来说，这些“装置”在降落时也帮不上什么忙。

李林塔尔的滑翔机

小白鹳的第一次着陆练习

如果我们仔细观察站在粪堆上的骄傲的意大利雄鸡，除了注意到它们有华丽的羽毛，脚上还有角质鳞片。这些角质鳞片表明鸟类由爬行类动物演化而来。羽毛的出现是动物演化史上决定性的一幕，它为鸟类开辟出和爬行动物完全不同的生存空间。来自鸟类身体自身的黑色或褐色色素，如黑色素，以及来自食物的色素，如黄色和红色的胡萝卜素，这些色素一起决定了各种鸟类鲜艳华丽的毛色。

在我们眼里，空中到处都一样；但鸟类却演化出如此多种类型的飞行方式，由此证明其实天空中各处也千差万别。从灌木丛中灵活的鸟儿，比如鹪鹩，到滑翔飞行的能手，比如鹰和信天翁，飞鸟统治着整个天空。

鸟的领地到底有多大？

当鸟类征服天空之后，便可在天空中寻找新领地，而其他脊椎动物却只能望空兴叹。鸟类根据其结构、翼型、大小和体重，在进化过程中以其不同的飞行能力来分配蓝天。小型鸟类进化出最丰富的种类和最多的个体，几乎占了整个鸟类种数的一半。我们还发现，小型鸟类中还有一些飞得相对较慢、耐力较差的成员，但它们靠着灵活的飞行技巧和垂直上升飞行的能力，非常适合在障碍物和掩蔽处繁多的地表生存。实际上，它们能“开发”出极小的生态环境。

中等大小的鸟类中，鸽子、寒鸦和隼的灵活性稍差，但它们耐力极强而且飞行速度很快，它们能快速扇动翅膀，像箭一般飞行。燕鸥在上千公里的迁徙旅程中无须休息。鸡形目的鸟类与海鸥和隼一样，也是中型鸟类的代表。这些鸟儿是短程快速飞跃的能手，杂耍似的飞行技能无“鸟”能及。

身体沉重的大型鸟类是速度相对较慢的飞行者，其飞行沉重但有力，常常可以通过舒缓流畅的拍翅动作辨认出来。因为不能敏捷地避开障碍物，它们避免飞入树林。大型鸟类的肌肉力量受到体重的限制，因此在长途飞行中没有显示出如中型鸟类般的耐力。比如黑嘴天鹅飞行的体重极限约为12千克。在长途飞行中为避免过多能量消耗，大型鸟类必须借助于类似滑翔机的飞行技巧。

陆上生活的种类，比如隼、鹳或鹈鹕都可以利用温差或地形形成的上升气流滑翔。海面上却无法形成这种类型的上升气流。于是，大型海鸟们（如信天翁）便发展出一套“空气动力学滑翔”的绝招。简单来说，风在贴近海面时会被海浪急剧减速，其水平速度便被转化为上升的高度。迎风飞翔的信天翁就在这样的气流中上升。它们斜插入下风口，以螺旋式飞行获得滑翔高度。只有翼形细长、翼展宽阔的海鸟才掌握了这种动力学滑翔的本领。这套技巧就不适合翅膀宽大的陆地滑翔鸟类，比如鹰和鹫。

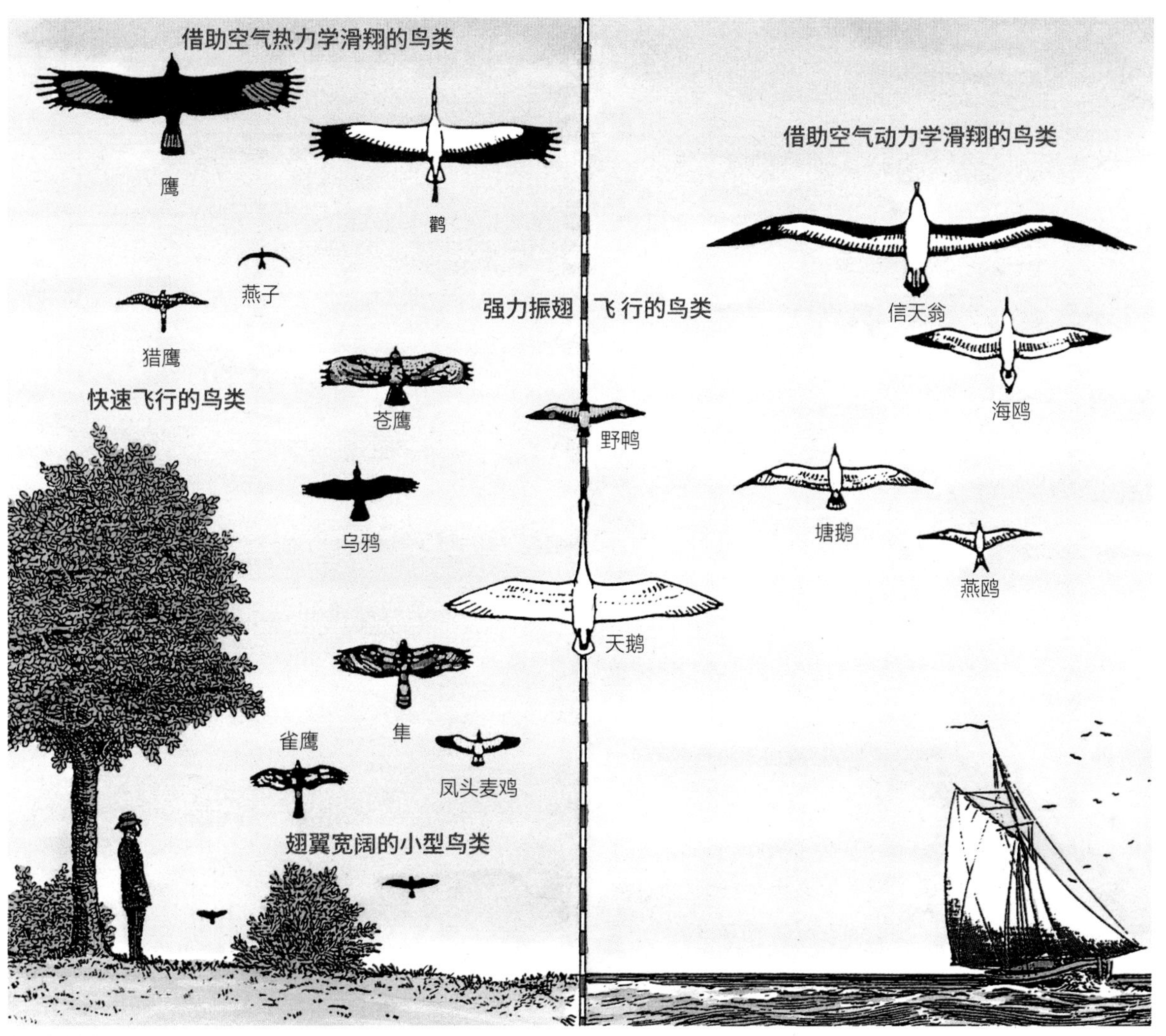

鸟的领地分配图

1. 大型鸟类（天鹅）：缓慢拍翅的飞行

2. 中型鸟类（乌鸦）：翅膀拍击频率较高的飞行

3. 小型鸣禽：旋转挥舞翅膀的飞行

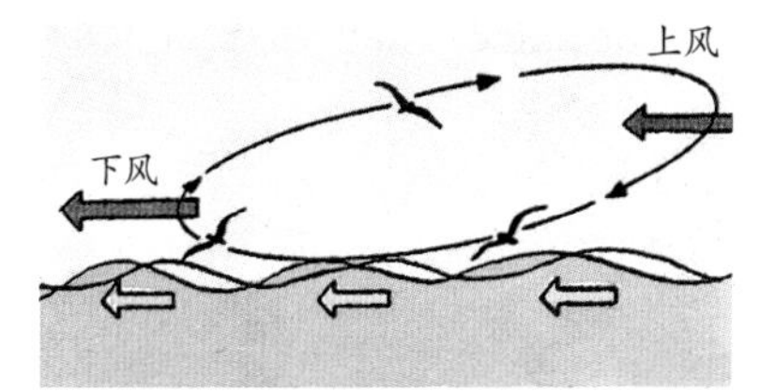

空气动力学滑翔：信天翁

地形抬升气流的滑翔：鹰

企鹅的羽毛演变成细小鳞状羽，在绒毛上面形成严丝合缝的隔水层，防止水浸到皮肤。另外，羽毛间还充满空气，这不仅有助于保暖，还能在企鹅游泳时形成小气泡，从而起到减少摩擦、节省体力的作用。

企鹅先生，你今天穿保暖燕尾服了吗？

所有企鹅的祖先原本都会飞。它们为寻找新的生存空间，向环境恶劣的南极洲进军。尽管在被冰雪覆盖的陆地上很难找到食物，但它们发现近海能提供丰富的鱼类资源。企鹅的祖先们为适应水里的生活，翅膀渐渐进化成鳍。凭借鱼雷般的体型，它们游动时速能达到36千米，仿佛在水下飞翔。这样，一只王企鹅每天能猎获2千克鲜鱼。

大型企鹅将卵放在脚背上孵化，并用腹部下垂的皮褶将其覆盖，这也能为刚出壳的幼雏保暖御寒。小企鹅由父母轮流喂食。再过些日子，小企鹅们组成大“幼儿园”，紧紧依偎着互相取暖。只有这样，它们才能挨过南极洲冬季零下40多摄氏度的低温。其间，父母在庞大的幼雏堆里通过声音辨识出自己的孩子并给它喂食。10个月以后，小家伙们换下绒毛，长出和成鸟一样细密、防水的羽毛。这种羽毛的隔热能力很强，以至于落在孵卵的企鹅头顶的积雪可以长时间不化。

侏儒和巨人

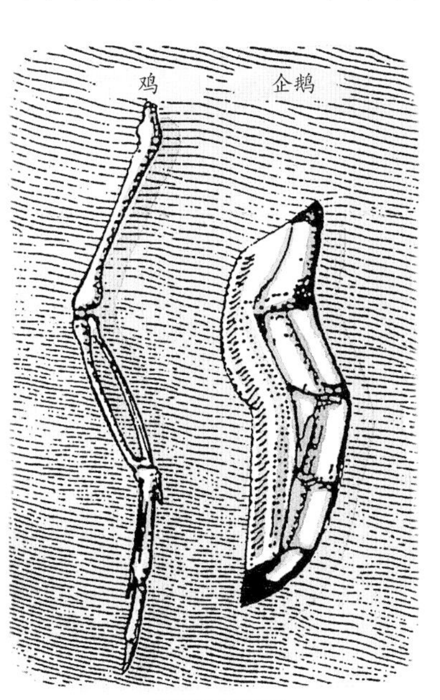

翅膀比较图

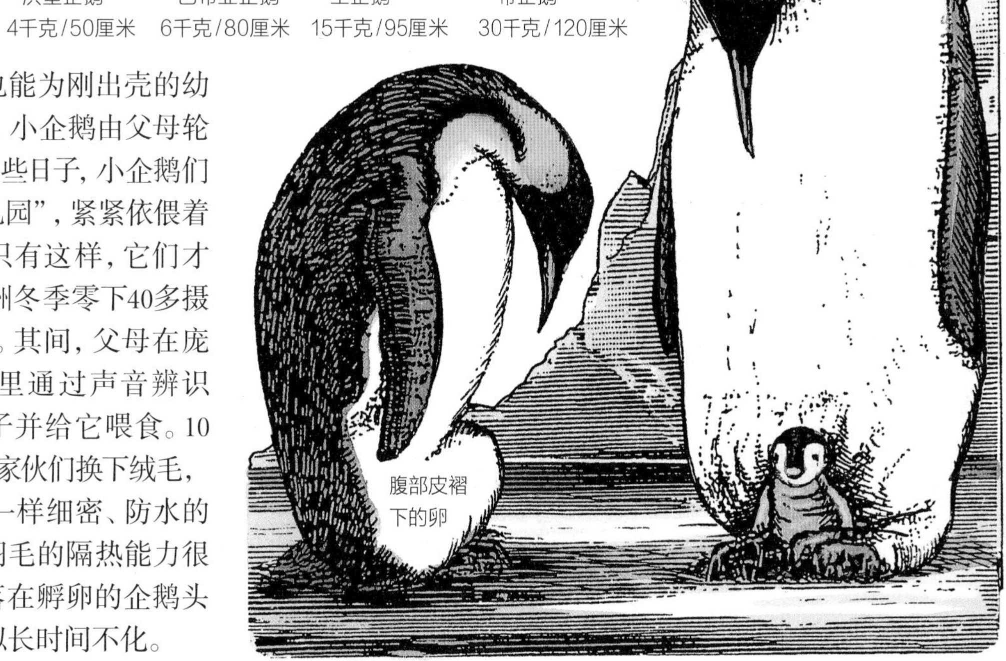

企鹅是真正的潜水高手。帝企鹅最深能潜到水下548米，且能在水下待18分钟

洪堡企鹅潜水深至35米，潜水时间2~3分钟。

帝企鹅潜水深至548米，潜水时间长达18分钟。

当人们试图用卫星红外线探测器来捕捉北极熊的热辐射能量，并以此跟踪其行迹时，曾大吃一惊。北极霸主那身“皮毛外衣”的隔热程度太高，以至于连仪器都探测不到它的热辐射。

谁是北极之王？

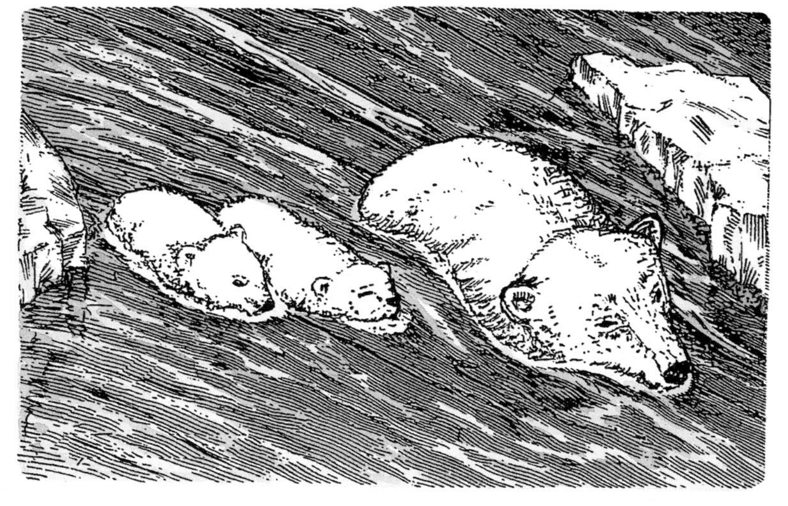

大约5万年前，当熊类开始在富有青草、香草和草莓的北极冻原定居之后，它们中的一部分又继续进化为“海豹猎手”，并在极地冰盖上生存。所以从进化史来看，北极熊是最新的熊种。为了适应新的生存环境，它们的毛皮颜色由棕转白，厚厚的皮下脂肪层可以隔热以抵御极地严寒。因此即使是小熊崽也能跟着妈妈在冰冷的海水里游泳，从一块浮冰迁到另一块浮冰。储存了大量脂肪的雄性北极熊能重达1000千克（这可是整整1吨重）。在北极漫长的冬季，一连几个月都抓不到一头海豹的情况下，北极熊正是靠消耗身体储存的脂肪度日。

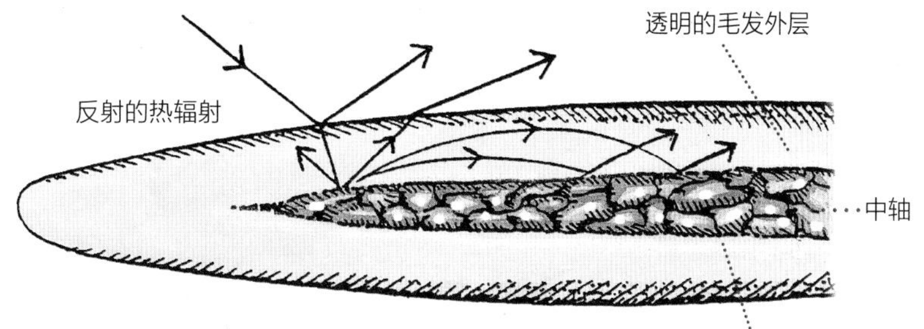

毛发的光纤原理

进一步的研究表明，北极熊的毛能按照光纤原理吸收热辐射并将其导向皮肤。它的毛由透明的外层和网状中轴结构构成，能很好地吸收阳光中的热辐射并把热量传递到皮肤表面。北极熊的脚掌则具有另一项适应海洋和冰原生活的特征，上面既有蹼又有密毛。这使得它不会在雪地里陷入太深，同时游泳时前掌还能划水。

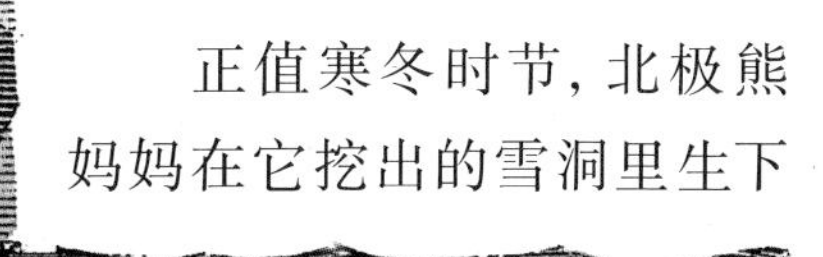

北极熊的“产房”横截图

正值寒冬时节，北极熊妈妈在它挖出的雪洞里生下一到两个孩子。有了洞穴的保护和妈妈营养丰富的奶水，刚出生才400克的小家伙迅速发育。等到春季来临，大量新生小海豹给北极熊提供了足够食源时，幼熊就跟着妈妈出洞觅食了。北极熊会静静守候在海豹的冰通气口旁边，它们也知道如何偷偷地接近正在休息的海豹。据因纽特人说，北极熊在此刻甚至会用前掌遮住身上唯一深色的部位——眼睛和鼻子。

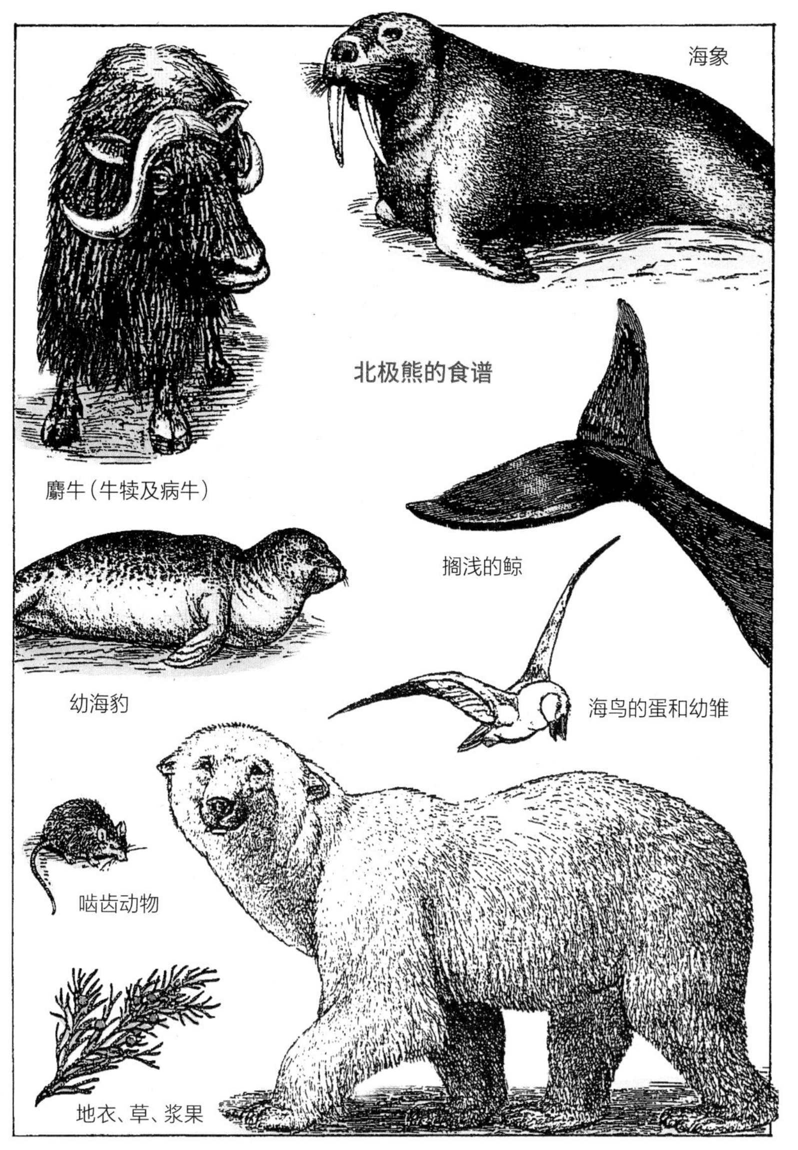

北极熊的食谱

美国海军的研究员想要对棱皮龟的潜水能力一探究竟，于是在它背上贴上可遥感的深度计。该深度计在1200米深处停止了工作，这一出色的成绩已经足以让棱皮龟成为吉尼斯世界潜水纪录的保持者。

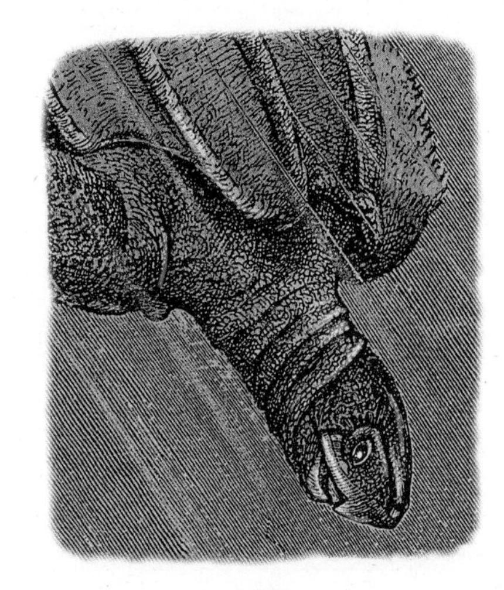

谁是潜水第一名?

普通人可以潜水深至5米，憋气1分钟。采珠者能潜到35米深，不换气坚持2到3分钟。形形色色用肺呼吸的脊椎动物才是真正的潜水佼佼者。目前，棱皮龟保持着1200米这一举世闻名的世界纪录。象海豹能潜到800米深，甚至可以在水下睡大觉。它们非凡的潜水能力来自与之相适应的复杂的呼吸方式。和人相反，这些动物潜水前会深深呼气。通过肺部紧紧收缩，将尽量多的空气从气管中排走，否则空气中所含氮气就会随着潜水越来越深，而在压力下溶入身体组织。当迅速返回水面时，氮气又会形成大量气泡，并充斥于体内组织（减压病）。

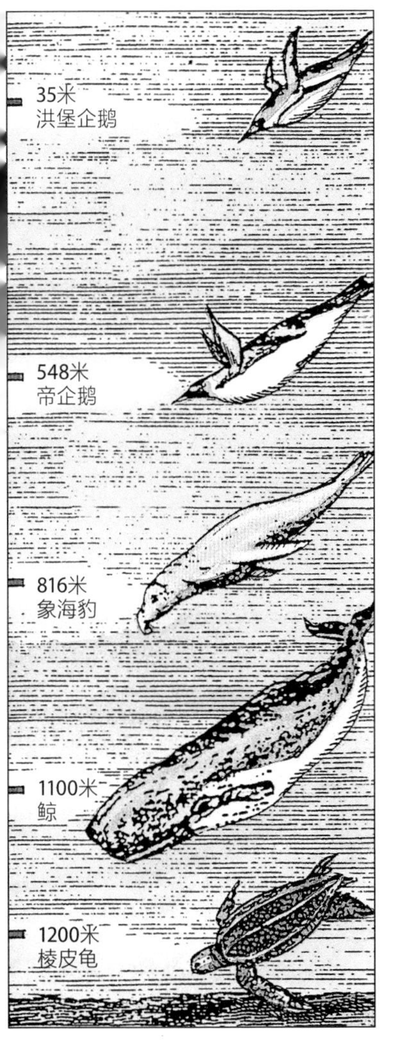

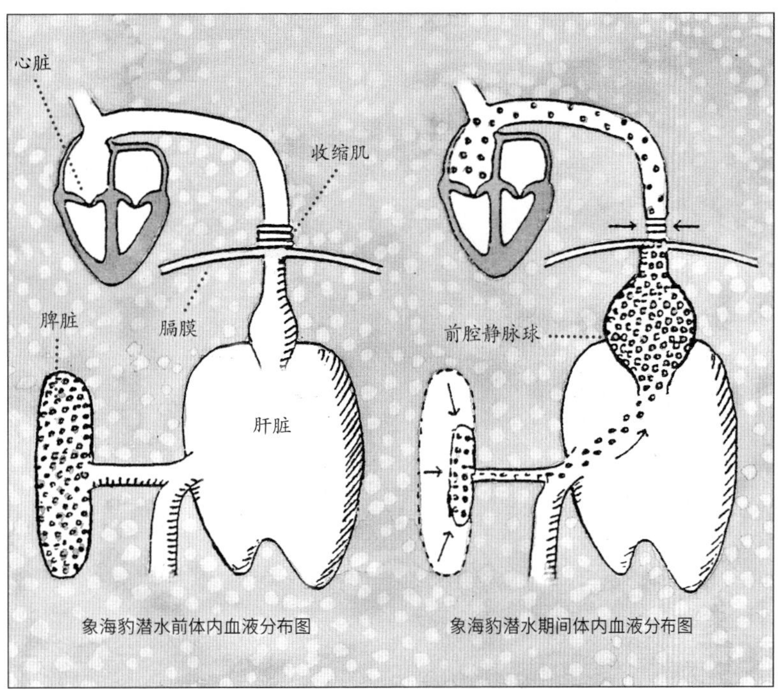

象海豹潜水前体内血液分布图　　象海豹潜水期间体内血液分布图

除此以外，它们心跳频率降低，并只向心脏、肺、脑和子宫供血。善于潜水的海豹有特别大的脾脏，能储存大量红细胞。脾脏在压缩后能将富含氧气的血液泵到前腔静脉，使静脉膨胀成球状。在膈处的收缩肌则能按需求释放血液，提供红细胞。

另外，潜泳高手们还能让氧气和肌肉中的肌红蛋白相结合，这样潜泳必需的肌肉运动也不会额外消耗氧气。肌肉运动产生的乳酸在人类身上会导致运动后迟发性肌肉酸痛，而海豹却能将乳酸迅速分解。

海豹纵剖面图

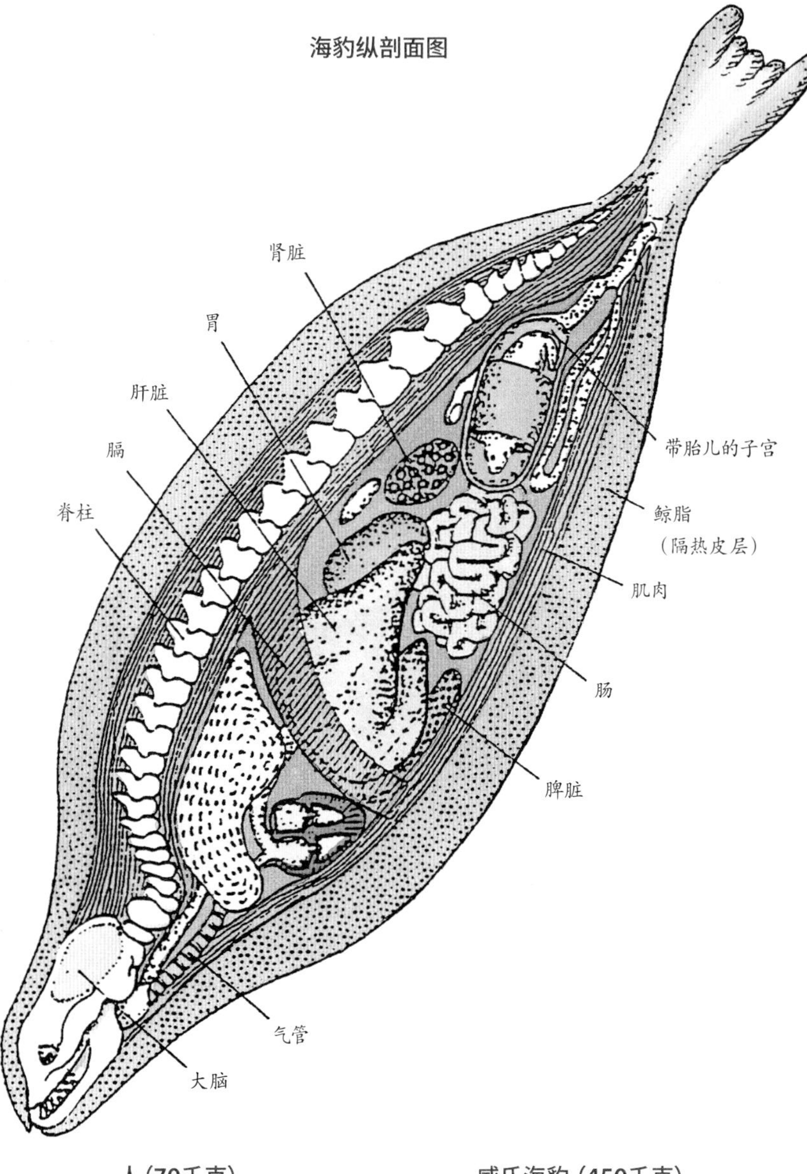

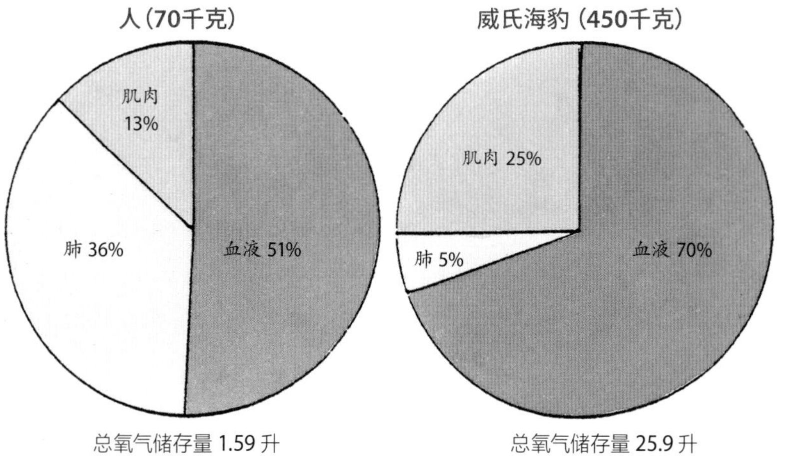

每到冻原上越橘和蓝莓成熟的季节，棕熊们就展现出“采摘”的热情。它们用嘴唇和舌头快速灵巧地从这些植物上卷走果实。含大量糖分的果实正是脂肪储备的重要来源，依靠这些它们才能战胜漫漫冬日。

Mr.棕熊

当一头小棕熊展示出娴熟的攀爬技巧时，无疑间接说明了熊类的进化史：它们原先完全是“森林住户”。对小棕熊来说，会爬树可是生存所迫，只有这样它们才能化解来自成年熊的威胁。熊类被证实是最爱同类相残的哺乳动物。因为它们没有自然天敌，有人猜测这也许是熊类自我控制种群数量的必要手段。

猎食鲑鱼的阿拉斯加棕熊

棕熊槽牙的平状齿冠显示出其杂食性，棕熊对鲑鱼的偏爱众所周知。和人类一样都属于跖（zhí，意为掌）行动物的熊异常强壮。熊先生一掌就足以杀死一头牛。熊和狍子采用同样的生育手段，即所谓胚胎滞育。它们在春天交配后，受精卵只发育到囊胚阶段，然后直到夏末才在子宫壁着床。12月底或1月初，小熊终于出生了：重约400克，长23厘米左右，无毛，眼睛也没有睁开。它和重约350千克的母亲在形体上有巨大差异，在生理上却相当契合。因为妈妈在冬眠期自己尚且没有食物，只能消耗身体脂肪维生。它产下的奶水富含蛋白质和脂肪，这有助于幼兽迅速成长。当春天来临，外界环境又能提供足够食物时，熊妈妈就带着小熊离开洞穴。一般来说，熊是非常羞怯的独行客，它们看到人都会绕道而行。但带着小熊的母熊一旦嗅到危险，马上变得凶猛异常，人们最好避而远之。在奥地利、意大利和比利牛斯山地区，人们对于棕熊的保护项目给予了它们更多生存机会。

趾行动物

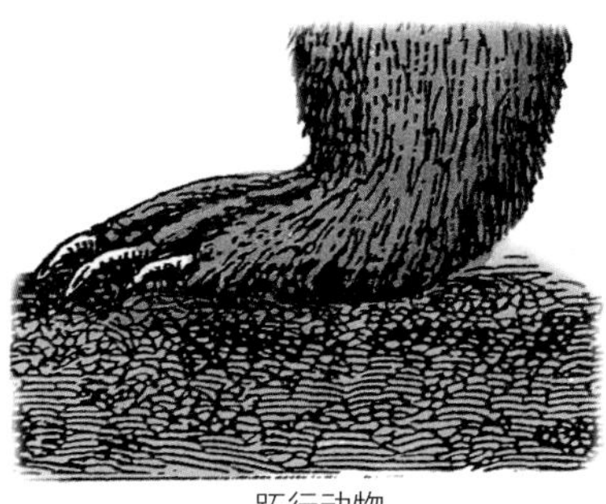

跖行动物

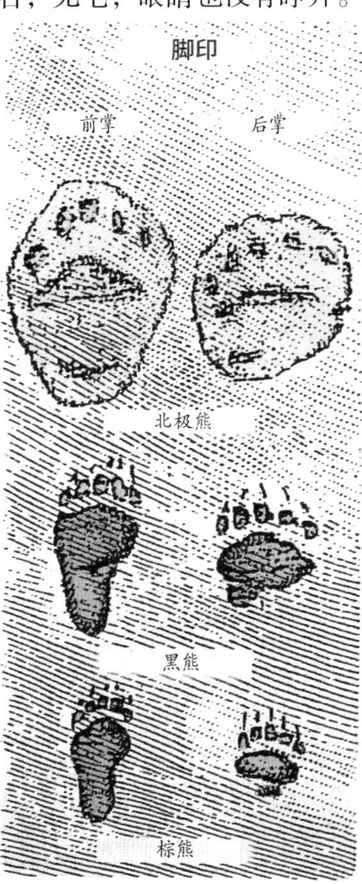

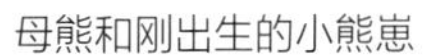

母熊和刚出生的小熊崽

由于特殊的循环系统，长颈鹿几乎是站着度过一生。它卧下来熟睡的时间每天也不会超过30到50分钟。长颈鹿妈妈连生产期间也不会卧下，因此幼兽还没有开始第一次呼吸就得从高处跌落。长颈鹿必须非常留心自己的循环系统，哪怕分娩时也不可能采用卧式。

头晕，好高的血压！

毫无疑问，长颈鹿超长的脖子是动物界适应力克服生物局限性的最佳范例。长颈鹿高达5.8米，灵巧的舌头长50厘米，使得它们在取食合欢树叶时占尽高空优势。

长颈鹿和人一样只有7块颈椎骨

当长颈鹿伸直颈项时，心脏和大脑基部之间的高度差竟达2.5米左右，估计它的血压在哺乳动物中当属最高。长颈鹿11千克重的心脏每分钟要泵出60升血液，功率是人类心脏的3倍。为了制造出如此高的血压，它的左心室壁厚7.5厘米。当长颈鹿低头饮水时，大脑里的巨大血压差本会让它立即昏厥。据测量，长颈鹿卧下时的血压为353/303毫米汞柱（人类正常状态的均值为135/80毫米汞柱）。因此它的血管壁很厚，肺动脉主干的壁厚甚至达到7.5厘米！大部分哺乳动物都是通过大脑内部一个特殊中心以及心脏附近的感受器来调整血压的，而长颈鹿的感受器则位于大脑基部，这样一来，头部姿势的正常变化只会给头部血压和心率带来微小改变。此外，为了避免大脑出现过高颅内压，头部血管精密交错在一起，组成所谓的“神奇网络”。长颈鹿低头时，它们像海绵一样将血液吸住；在其抬头时，弹性优良的血管壁还能保持足够血液，避免大脑突然失血。另外，低头时颈动脉能通过支脉管将多余的血液转移到内动脉去，减轻“神奇网络”的负担。

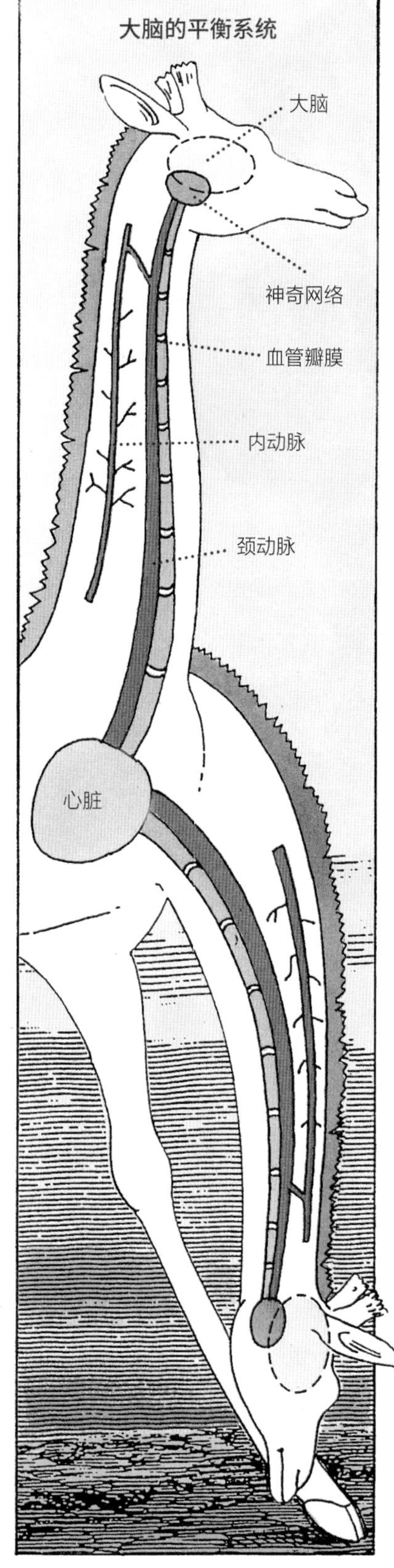

啃食树冠上的叶子

长颈鹿静脉里还有特殊的血管瓣膜，低头时，颈部主静脉里的5个半月瓣能避免血液倒流大脑。当头颈伸直时，颈部主静脉里其实并不充盈，因此在低头时借助瓣膜，这里就能扩充为一个血液储存库。瓣膜同样能防止抬头时血液高速反冲心脏。因为长颈鹿血液中的红细胞含量近乎其他哺乳动物的2倍，所以尽管有瓣膜抑制血液快速流动，却始终能保证充足的氧气供应。

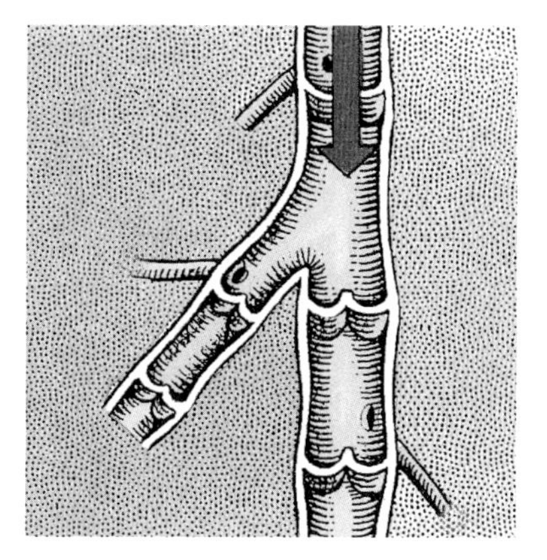
静脉中的血管瓣膜

长臂猿特殊的运动技巧极为适应热带丛林中的生活，“空中的杂耍家”们在这里需要很大的地盘。它们主要靠水果为生，凭着仅8千克重的轻盈身躯，能从最细的枝条上采摘果实。

长臂猿是热带雨林里的蜘蛛侠吗？

嗯……可以这么说。长臂猿栖息在东南亚地区，掌握了一套吊挂腾跃的技巧，能毫不费力地在原始森林的树冠间穿梭。这套运动方式协调稳健，连续荡跃时轻盈优雅，特别像蜘蛛侠在城市里穿梭。超长且强有力的前臂是做到这点的生理前提。另外，它们的手也演变成狭长的攀援手，拇指远离其他四指长在手掌底部，以不影响荡跃时的攀抓。

因为人用肉眼看不清长臂猿迅捷自如的运动过程，我们只能依照快速摄像机所得照片绘制成图。在向前上方荡跃的过程中，长臂猿左右手交替，同时身体几乎转体180度，并借助空出的那只手加速。因为它总在摆荡的最高点换手，身体在前进时便只消耗很少的体力，动作也显得格外轻巧舒展。长臂猿特有的吊挂技巧使得它在所有灵长目动物中前进速度最快。长臂猿还能借助有弹力的树枝在空中飞出12米远，并稳稳落到自己想去的地方。

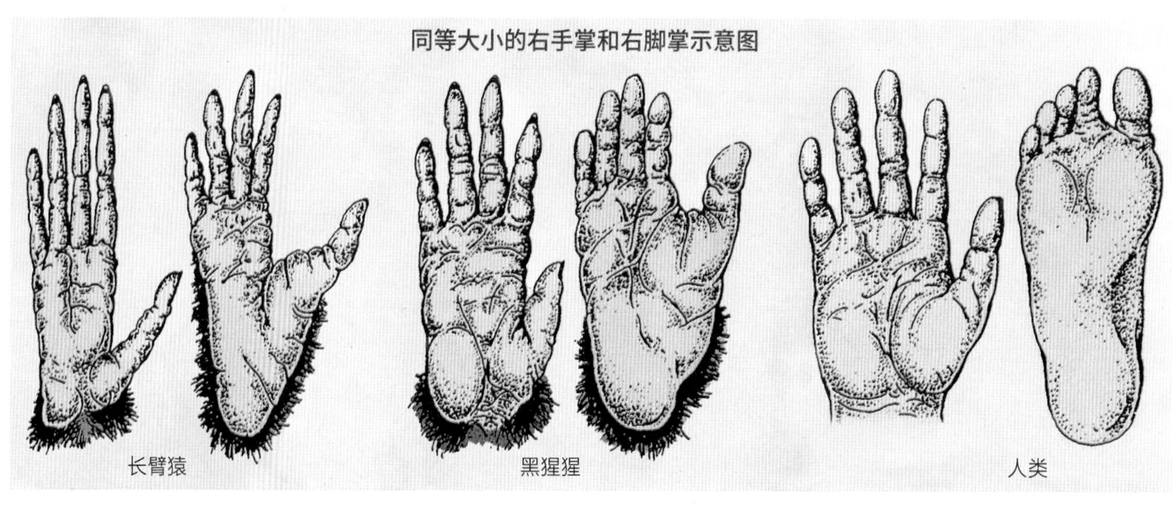

拇指能向手掌和其他手指方向屈伸是人类早期演化中的重要一步。这样一来，人类的手比其他灵长目动物更利于抓握工具。史前人类因此在食物竞争方面更具优势。

这张图片展示了长臂猿如何沿着一条绳索荡跃。

马鹿头制成的华美装饰品一直是全世界最受欢迎的狩猎战利品之一。马鹿的鹿角主要用于发情期和情敌较量，而遇到猛兽时马鹿则猛击前蹄来自卫。

犄角家族大不同

许多反刍动物头顶上都长着角作为武器，而鹿角和牛羊角又有所不同。欧洲盘羊的角是牛羊角的典型代表。公盘羊从前额生长锥上长出雄壮的螺旋角。生长锥上的分生细胞层在它一生中能不断产生新角质层，尤以4岁前生长最旺盛。人们能通过角上清晰的凹痕看出年轮。7岁开始，角质的形成减缓。也就是说，盘羊终生受用的羊角已基本定型。进入10月、11月交配期后，人们老远就能听到雄性盘羊用坚硬的角相互顶撞所发出的闷响。为避免遭受重创，盘羊的头皮和头盖骨构造特别坚实。

与之相反，鹿角不是由角质层，而是由骨质构成的。鹿角每年都会重新生长。在雄性激素睾丸酮的刺激下，鹿茸从2月、3月开始生长，茸毛在7月里脱落。9月、10月进入发情期时，鹿角已经能作为它们和情敌角斗的强大武器。来年2月份，鹿角再度脱落。一头强壮的公鹿100天左右能长出总共10千克鹿角。在口语以及猎人行话里常常错误地将鹿角和牛羊角混为一谈。

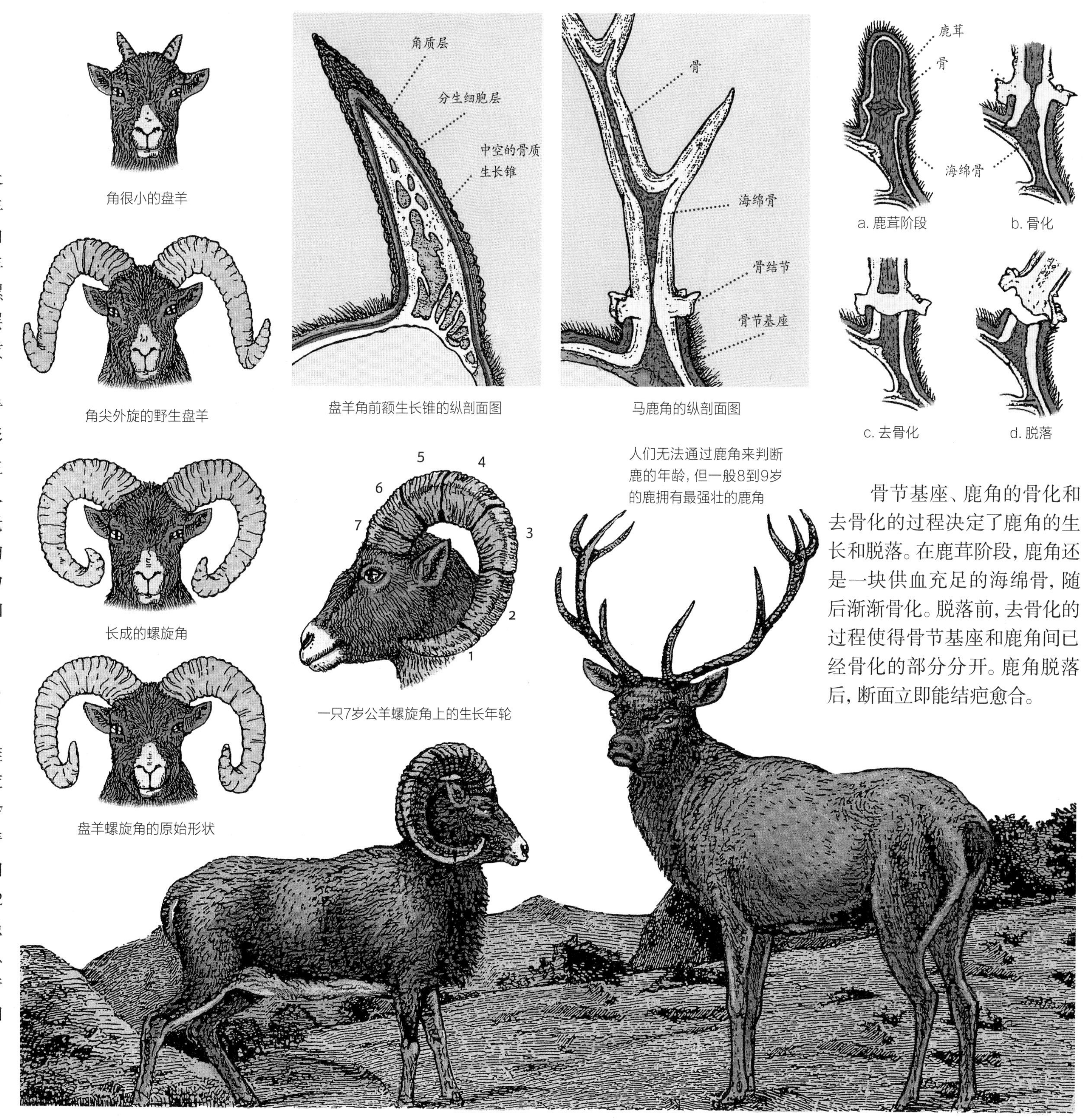

角很小的盘羊

角尖外旋的野生盘羊

长成的螺旋角

盘羊螺旋角的原始形状

盘羊角前额生长锥的纵剖面图

马鹿角的纵剖面图

a. 鹿茸阶段

b. 骨化

c. 去骨化

d. 脱落

一只7岁公羊螺旋角上的生长年轮

人们无法通过鹿角来判断鹿的年龄，但一般8到9岁的鹿拥有最强壮的鹿角

骨节基座、鹿角的骨化和去骨化的过程决定了鹿角的生长和脱落。在鹿茸阶段，鹿角还是一块供血充足的海绵骨，随后渐渐骨化。脱落前，去骨化的过程使得骨节基座和鹿角间已经骨化的部分分开。鹿角脱落后，断面立即能结疤愈合。

人类生活在时间之中，
生活在万物的洪流之中；
但对谜一样的动物而言，
它们生活在瞬间的永恒之中。

博尔赫斯（Jorge Luis Borges）

第三章

气味：
形形色色的动物行为

在人类交往中，气味也扮演着信息传递者的角色。不然，香水制造业何以生意兴隆？比如说我们喜欢某人，常形容为“臭味相投”。而母鹿如果哪天突然不喜欢自己爱侣身上的“臭味”了，恐怕也会掉头就跑。

孩子的味道

一周大的小鹿还无法跟随母亲活动，只能躲在藏身处。母鹿只在喂奶的时候出现。小鹿表面看来孤立无助，实际上它正通过一种神秘的气味信号和母亲保持联系。小鹿眼前腺里会释放出所谓的“信息素”（又称为费洛蒙），这是一种特殊的，只有亲生母亲才能识别的气味物质。新生的小鹿没有其他任何气味，以便躲过肉食动物灵敏的嗅觉。母亲在离开幼崽时总会注意风向，以保持和孩子间的气味联系。小家伙如果饿了，便张开眼前腺来“呼唤”母亲。

气味物质在母子关系中发挥着非常重要的作用。所以母鹿只认定一生下来就立即被自己舔干的孩子。小鹿肛门附近的肛门腺正是其独特的识别标志。剖腹产下的小鹿往往不被妈妈认可，因为母鹿在麻醉尚未清醒的状态下无法记住自己孩子的独有气味。

鹿妈妈在离开时总会注意风向，以保持和小鹿间的气味联系

遇到危险时小鹿会闭上眼前腺，气味联系一旦中断，鹿妈妈会马上赶来救助

小鹿一出生，鹿妈妈立即为它舔干身体，同时留意其独有气味

哺乳时，鹿妈妈用鼻子嗅小鹿肛门区的肛门腺，通过这种气味来辨识自己的孩子

在用奶瓶喂小鹿时，人们能更好地观察眼前腺的功能。饥饿时，小鹿的眼前腺张得很开，随着饱足感越来越强，腺体也渐渐闭合。

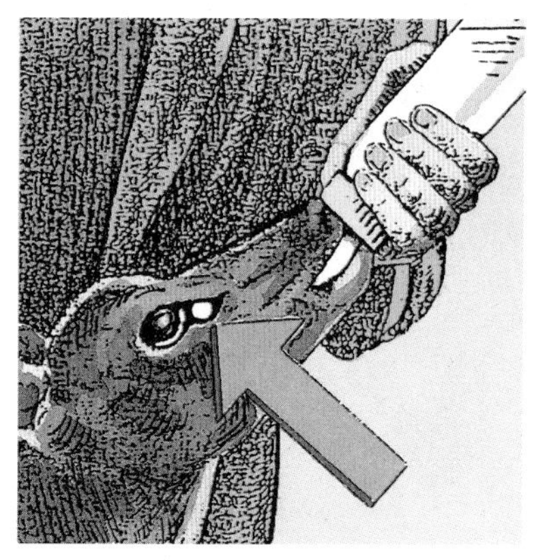

眼前腺张开……

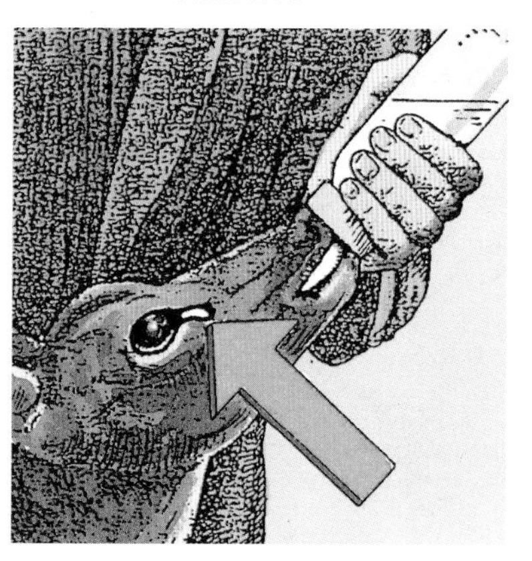

……随着不断增加的饱足感……

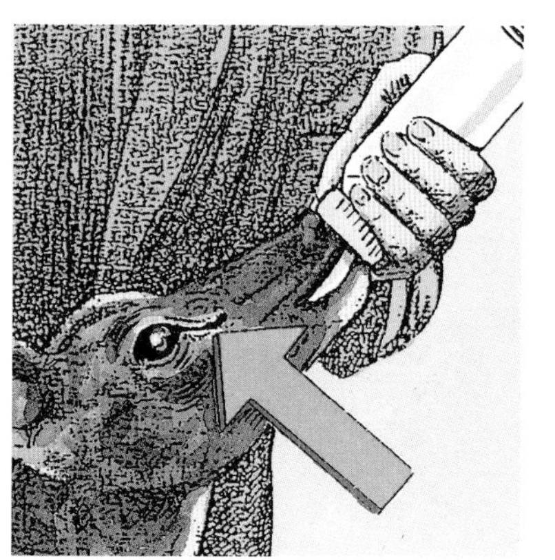

……渐渐合拢

每一只环尾狐猴的诞生，对于整个家族来说都是一件大喜事。每个家庭成员都会围着幼狐猴闻个不停，猴群的关系纽带肯定也正是靠气味腺体来维系的。

环尾狐猴的气味密码

生活在马达加斯加的环尾狐猴因貌似狐狸而得名，它们是主要在地面活动的昼行性动物。环尾狐猴喜欢结成20只以内的小分队觅食。其中雄性居多，因为雌性狐猴往往无法融洽相处，尤其在发情期，它们彼此撕咬，想将对方赶出队伍。雄狐猴们对处于劣势的雌狐猴也渐渐失去耐心，同样加入驱赶者的行列。我们还能观察到雄狐猴为争夺受欢迎的异性而发生不流血的气味战，随后，处于优势的雌狐猴会和所有竞争者交配。

在动物园里布置狐猴生活区时，人们必须考虑到它们的行为方式。比如安置大量树木和枝条供其使用，这样不仅使得每只狐猴都有自己的“地盘”，而且它们发生争执后也能逃离彼此视线。在餐后小憩的时段，家庭成员坐在一起相互梳理毛发，靠在一起睡眠。祥和的家庭气氛不容外来者打搅。对鲁莽的闯入者，它们将群起而攻之。

环尾狐猴经常用肛门附近的特殊腺体来做标记，以划定种群领地，或以此独特的气味来显示自己在种群中的地位。这时，它们会正儿八经地来个倒立，同时用骨盆区在想要标记的东西上摩擦。不过还没有发现环尾狐猴有与小狗类似的行为，即抬起后腿撒一泡尿，用自己的记号去覆盖此处旧有的气味标记。

环尾狐猴前臂内侧有一个深色无毛区。这里同样是腺体分布的区域。通过环抱或摩擦也能在东西上做标记。清晨是这些动物最活跃的时候，它们蹲坐在地上，把尾巴拽到前面并在腺体上摩擦。

当两只家族不同却地位相同的环尾狐猴偶遇时，它们会缓缓靠近对方，高高竖起尾巴，把它像香水掸子一样摇来摇去挥洒气味。如此这般，气味信息再次加强视觉信号。最后，它们短暂地碰一下鼻子就各自走开。等级地位较低的狐猴通常会先开始摇动尾巴。这类的狭路相逢很少会引发一场真正激烈的冲突。

和所有狐猴一样，环尾狐猴也喜爱充足的日光浴，它们背靠石头或树干蹲坐在阳光下，两臂懒洋洋地耷拉在膝盖上，或向两侧舒展开。这样便能更惬意地享受温暖的阳光。正因为狐猴“崇拜”太阳的行为，使得它们在迷信的当地人眼里成了“原始丛林中的幽灵”。众所周知，在歌德笔下也正是狐猴（其拉丁名意即“幽灵”）埋葬了浮士德的尸体。

花用各种气味来吸引昆虫、蜂鸟甚至像蝙蝠一样的小型哺乳动物。为了互相利用，植物提供可口的花蜜以招揽“客人”为它授粉。最近，人们还发现植物甚至知道如何用气味信息来避免被不受欢迎的客人打扰——逼不得已的话只有两败俱伤。

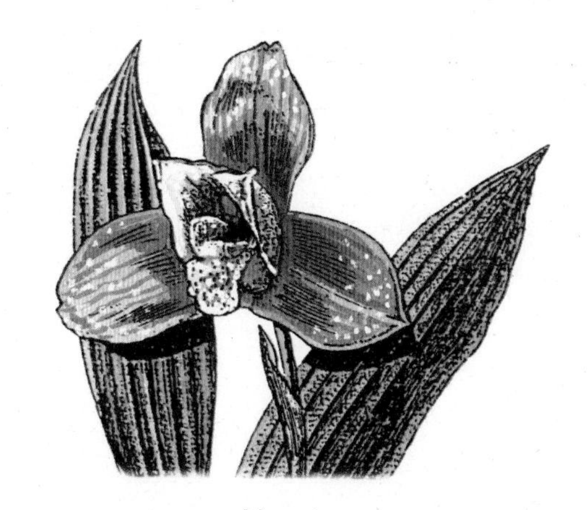

有毒！小心！

大捻角羚

长颈鹿的栖息地——撒哈拉南部的草原和热带稀树草原都与金合欢植物有着密切联系。在南部非洲，人们早就建起大型野生动物农场，以作为传统畜牧业的替代，缓解过度放牧所造成的土地荒芜。这种以肉类供应和狩猎旅游开发为目的的方案既能更有效地利用本地野生动物，也能比家畜养殖更有利可图。

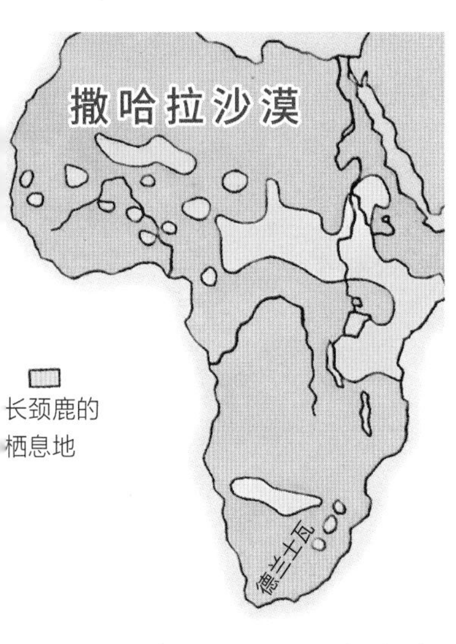

长颈鹿的栖息地

正因如此，这里每年都有大型野生动物狩猎拍卖，常见的有羚羊，比如大捻角羚，部分还是从别处运过来的。20世纪90年代初，在南部非洲德兰士瓦的农场里突然有3000多头大捻角羚暴毙。人们在排除了炭疽病或狂犬病等传染病后，对这次集体死亡事件百思不解。进一步观察的结果显示，那些死去的大捻角羚大部分都采食了金合欢叶，人们能从其叶片中提取出有毒的鞣酸。中毒事件主要发生在大捻角羚在农场里吃不到其他食物的冬季。但令人不解的是，同样以金合欢树叶为食的长颈鹿却安然无恙。经调查后发现，野生长颈鹿往往在10株金合欢树中只取食其一，而且人们还注意到，长颈鹿们啃食过一棵树后，特意避开其下风头相邻的树木。对这类植物进一步的研究结果表明，金合欢植物能在短短5分钟内将树根中积蓄的毒素泵到枝叶上。同时，金合欢植物还能释放出乙烯气体，在方圆20米的范围内借助风力飘散。假如有人扯下金合欢叶，让它以为自己正被动物啃食，这种气味就会顺风将邻近的其他金合欢树激活，让它们也把自己的毒素泵上来。

在此之前这种植物间的交流一直不为人知。很显然，长颈鹿能嗅到金合欢树传递的死亡警报，而大捻角羚估计因为饥饿难耐，根本没有注意风向以致踏入中毒“陷阱”。

金合欢科植物的树根可长达100米。为了避免被啃食，根中储存的毒性鞣酸能在几分钟内被泵到树叶上。

长颈鹿能够辨识金合欢的气味语言。

有什么动物能像小狗那样，在捅娄子后摆出一脸无辜的样子来？而人类的朋友犯错后的完美表演实际上得益于狼的真传。丰富的肢体语言是狼群居生活的最佳保证。

狼的语言

随着冬季来临，狼在饥饿驱使下组成更大群体，共同行动将使它们获得猎物的几率大大提高。除了众所周知的狼嚎以外，狼还为相互交流发展出一套细致入微的信号和肢体语言，从而避免因等级之争而打得你死我活。它们根据在狼群中的地位高低，通过丰富的面部表情以及耳朵、尾部动作来传情达意。除了人类和猴子以外，就属狗的祖先——狼的肢体语言发展得最丰富。每位主人肯定都能识别出自家小狗丰富多彩的表达方式。

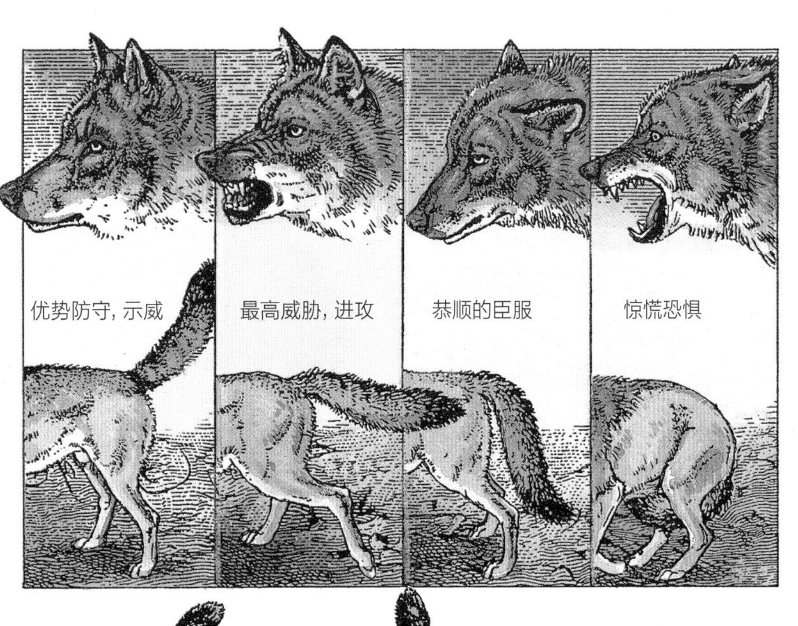

低颈屈服

向低等级的狼示威

主动献媚

被攻击的狼为了转移注意力提议游戏

恶战

狗的敌意和臣服（达尔文，1872年）

A1. 一只等级较低的狼慢慢接近等级较高的狼

A2. 舔对方的口鼻，就像一只嗷嗷待哺的幼兽

A3. 仰躺撒尿，并让高等级的狼嗅其生殖区以表现彻底的臣服

B1. 遇到更高等级的狼，在逃跑前因为恐惧而虚张声势

B2. 咬伤低等级狼的口鼻以示惩罚

C1. 两只平级的狼相遇，互相示威

C2. 冲突不断升级，尾巴的姿态显示出战斗将一触即发

C3. 攻击和撕咬对手

C4. 通过高高跃起、推挤、扭打、扑咬和撕扯来进行较量

C5. 低颈屈服以避免被胜者撕咬，不过……

体态优雅的猎豹不仅是哺乳动物中速度最快的短跑选手，它进食的速度同样惊人，不然，它辛辛苦苦捕获的猎物就要落入狮子或鬣狗之口。

豹的速度

人们把一种特殊斑纹的猎豹称为帝王猎豹（英文为King Cheetah）。它的花纹不是普通斑点，而呈现条纹状。猎豹名称源自印地语“Chitah”，即“带斑纹的”，以此让人们不要忘记它们最初被发现的地点——印度次大陆。古代的国王常带着猎豹打猎。相传13世纪中期，蒙古大汗忽必烈就养了上千头猎豹。直到17世纪，神圣罗马帝国皇帝利奥波德一世还带着猎豹在维也纳森林里捕猎狍子和马鹿。

作为跑得最快的哺乳动物，猎豹奔跑时速能达到大约120千米，且在5秒钟内就能将速度加至时速100千米。要是瞪羚突然改变方向，猎豹也能用尾巴灵巧自如地控制转向，经过平均20秒、170米的追击，猎豹就可以用前爪将猎物扑倒。被一口咬住咽喉的猎物还来不及感到痛苦就窒息而死。

猎豹神奇的加速能力得益于它非比寻常的肺活量。人们可以清楚看到它深深收缩的胸腔。它能在很短时间内将大量氧气注入血液。血液里相对较高的含氧量能给肌肉输送运动必需的能量。拥有较小肺活量的瞪羚虽然耐力更强，但在短跑时却没法输送足够氧气来满足肌肉运动所需。于是肌肉中乳酸堆积，达到一定浓度后甚至会导致肌肉痉挛，这也是每个运动员害怕出现的状况。我们都听说过由乳酸“宿醉”引发的运动后迟发性肌肉酸痛。而对瞪羚来说，对死亡的恐惧会引发真正的“乳酸休克”，以至于它在刹那间像被雷击中一样以奇特的僵硬姿态倒在地上。这就能解释，为什么猎豹前掌的轻轻一击就已经足够破坏瞪羚的平衡，以及为什么它倒下后对“有氧短跑家”再也无力反抗。死亡将不会给瞪羚带来痛苦。猎豹拥有出众的捕猎技巧，而其他众多肉食动物则想坐收渔利。鬣狗和狮子们在一旁密切关注捕食的猎豹，假如猎豹没能尽快将猎物吞咽进肚，很可能眼睁睁地从自己的“劳动果实”前被赶开。

5秒钟内加速到100千米/小时

1. 为逃离猎豹……

2. ……瞪羚突然……

3. ……疾速转弯，而猎豹……

4. ……用尾巴控制方向……

5. ……并用前掌绊倒猎物……

6. ……咬住咽喉使猎物窒息而死

动物园的狮子辛巴已经超过二十岁，如果和野生狮子相比，这样的岁数绝对是传说中的耄耋之年。为争夺一群母狮，公狮间激烈的对决常常以一方重伤收场，所以公狮很少能活过10到12岁。

狮子——群居的大猫

在所有猫科动物中，狮子是唯一的群居动物。在成功交配后往往同时有3到6只幼狮能在大家庭中被抚养长大。3年后，小母狮通常继续留在集体里，于是妈妈、女儿、祖母、姐妹和表姐妹们总是汇聚一堂。3岁左右的小公狮则被狮群中地位最高的雄性驱赶出去。在随后数年里，它只能独来独往或和其他公狮组队猎食，并且不断积蓄力量、积累经验。直到有一天，几只足够强壮的年轻雄狮会从老狮子手里接管狮群。年迈的狮子通常牙已掉光，无法再胜任保卫狮群的重责。

为了让母狮们尽快进入发情期，新狮王往往立即杀死老狮子留下的幼兽。这种杀戮幼兽的行为有其生物学上的意义，因为年轻的狮子只希望养育自己的血脉。群居生活的一大优点在于各司其职。母狮合力狩猎，公狮保卫领地不受外来同类的侵犯。它霸气的鬃毛则主要用于打斗时降低对手掌击的杀伤力。

年轻的雄狮通常独自猎食

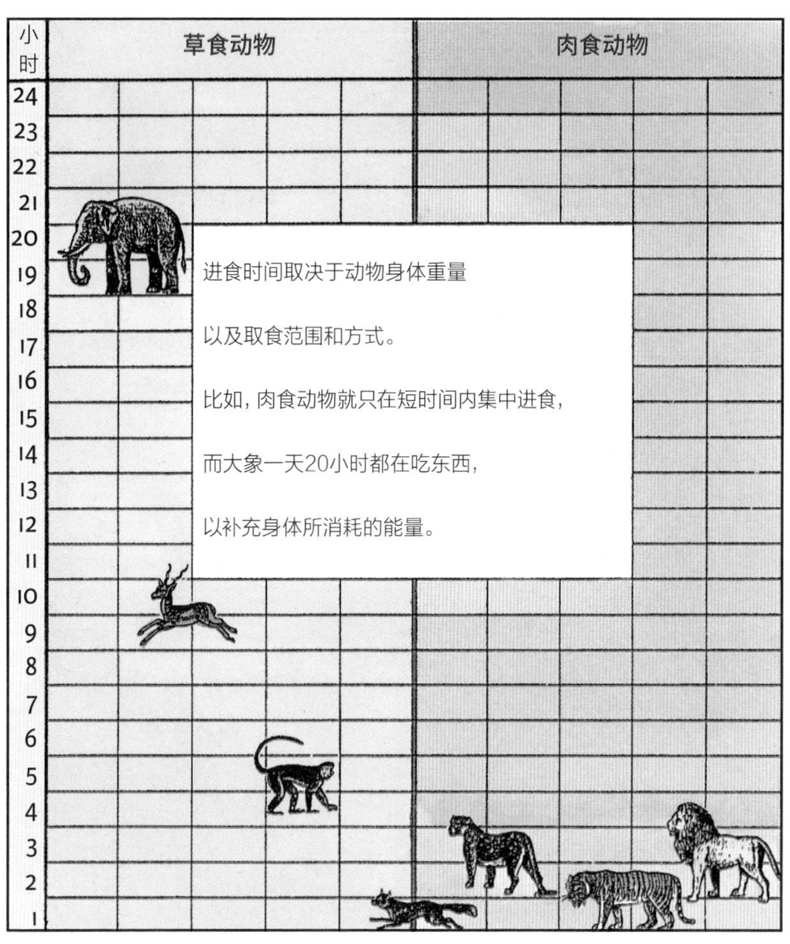
小时
草食动物
肉食动物
24
23
22
21
20
19
18
17
16
15
14
13
12
11
10
9
8
7
6
5
4
3
2
1
进食时间取决于动物身体重量
以及取食范围和方式。
比如，肉食动物就只在短时间内集中进食，
而大象一天20小时都在吃东西，
以补充身体所消耗的能量。

狮群的每日作息表
进食
活动
休息
由此可见，狮子一生中大部分时间都在睡懒觉。

对于老虎这样的大型食肉动物来说，世界实在太小。它们的栖息地已经萎缩如一个个孤岛，但不断增长的人口还在持续对它们造成威胁。即使在广阔的西伯利亚森林和冻原里，老虎也得给人类让步。

热带丛林之王

老虎是世界上最大、最强壮的猫科动物，一只雄性西伯利亚虎能重达360千克，从鼻尖到尾梢长达4米。和狮子喜欢生活在开阔的大草原不同，老虎偏爱浓密的森林及热带丛林。这才是它们最理想的生存环境，因为虎皮上黑色的纵向条纹能让身体轮廓隐没在丛林之中。老虎依靠出色的伪装术和不懈的耐心，利用风向、借助每一个隐蔽物，一寸一寸地悄悄接近猎物，到最后几米才一跃而上。一头800千克重的大额牛也能被跃起的老虎撞倒，随即被长有镰刀形虎爪的强劲前掌牢牢按住，最终被准确地咬住咽喉处而毙命。

这种捕猎技巧耗时费事，必须要熟练掌握窥探、潜行及一口致命等技术。大型肉食动物的猎物往往具备自卫能力，即使是老虎，也会对它们的蹄、角和獠牙畏惧三分。比如野猪锋利的獠牙就能轻易切开老虎的肚皮。小老虎在第一周里已经急不可耐地开始窥视并跟踪伏击昆虫、小型哺乳动物以及鸟类。处于发情期正在开屏的公孔雀是它们最易下手的目标。幼虎由虎妈妈亲身传艺，它可是非常严厉的老师。

在印度坎哈国家公园里，野生动物学家观察到这样的场景：母虎故意将一只水鹿咬伤，让幼虎用这只无法逃生的猎物练习扑倒和咬颈技巧。在坎哈的原始生存环境里，丰富的食物资源可以在100平方千米的土地上养活7到12只老虎。而受人为因素影响导致猎物匮乏的边缘地区，家畜甚至牧民都成了老虎的攻击对象。

至少在孙德尔本斯（意为美丽的森林）是这样，这是恒河与布拉马普特拉河的三角洲地带，一片河道交错的红树林区。以前这里经常发生老虎吃人的惨剧。在这片大型肉食动物几乎曾被人类赶尽杀绝的盐水沼泽地带，今天却栖息着大约600多只老虎，这些老虎是印度虎中数量最多的一支。野外采蜜、伐木和捕鱼的人乘着狭长的小舟划过这片神秘莫测的绿色森林时，随时随地可能处于虎视眈眈之中。从1975年到1985年，这个地区共有600多人葬身虎口。自1987年以来，印度政府向人们发放一种戴在后脑勺上的面具。这种防止被老虎袭击的方法被证实确有奇效，因为老虎一般都习惯从猎物的后方悄悄跟进，而不喜欢被瞅个正着。在孙德尔本斯的上千位渔夫和野外工作者中，戴了特殊面具的人没有一位遭到老虎袭击。我们早就在蝴蝶的幼虫及蝴蝶身上见识过这种运用奇特眼睛来吓唬对方的技巧，它们正是用这种方式迷惑了饥饿的鸟儿。

食人虎的血盆大口

人们可能觉得非洲野狗们传递信息时发出的声音像鸟叫。不断变换的啼鸣和叽叽喳喳的叫声甚至有时让人联想到柔和的教堂钟声，或一场正在上演的丰富精彩的话剧。

动物界黑帮：非洲野狗

非洲野狗在早期文学作品中曾多次被描绘成“非洲的祸害”，在许多猎人编排的故事中，它们甚至还攻击人类。野狗如此声名狼藉，无疑是因为它们不同寻常的捕猎方式。它们成群结队捕猎，每群20只以上。瞪羚是它们极偏爱的猎食对象，几乎占非洲野狗食源的三分之二。非洲野狗的一次围猎可能持续5分钟，全程1到3千米。它们同时还能保持大约50千米/小时的速度，捕猎成功率将近50%。它们捕猎时对猎物一通乱咬，主要目的是将猎物绊倒。因为它们“狗多势众”，小型猎物往往很快被撕成碎片。

面对一拥而上的非洲野狗，即便像牛羚或斑马这类大型动物有时也在劫难逃。它们的腹部常常被撕开，滑落的内脏还牵牵绊绊。尽管这种捕猎方法看上去残忍至极，但猎物其实并没有感到强烈痛苦。因为当野狗扑上来时，猎物大脑里已经分泌出一种被称为内啡肽的物质。这是身体里的一种激素，就像吗啡一样，能在受惊吓状态下抑制大脑接受痛感讯号，因此猎物并不会感到疼痛。人类遇到交通事故以及中弹时也会出现类似状况，痛感往往在事后产生。

小非洲野狗们在疣猪和土豚弃置的洞穴里出生长大，并由1到2只成年非洲野狗守护。它们和幼兽一样，只能吃打猎归来的非洲野狗从胃中呕出来的肉糜。

非洲野狗们以团队合作的形式进行捕猎，成功率极高，甚至能猎获比它们自身重好几倍的猎物。另外，野狗数量越多，越能对抗总在窥视它们的贪婪的鬣狗们。鬣狗体力上更占优势，小规模鬣狗团体也能将战利品抢走。非洲野生生物学家计算得出，一只非洲野狗每天按照其身体重量，每千克需要150克肉食。

非洲野狗的叫声千变万化，从吓唬对方的闷吼到幼兽的各种尖叫再到叽叽喳喳的声音。只可惜这些古灵精怪的群体在非洲草原上越来越少，在非洲的某些地区甚至完全灭绝，因为它们特别容易染上由家犬传播的犬瘟热。非洲野狗身上的花纹颜色鲜艳且各不相同，据估计这也是为了从远处就能辨识出对方。

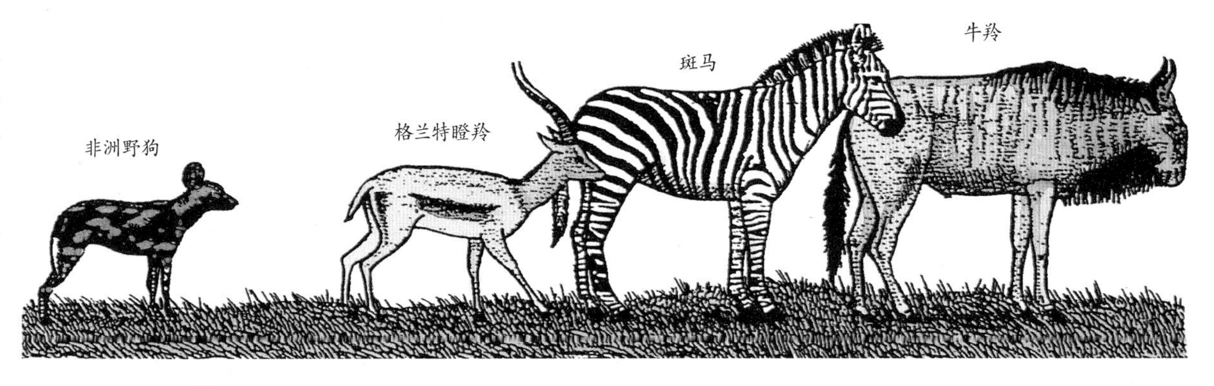

狼是一流的捕猎好手，它们靠集体猎食战胜漫漫冬日。狼群的战斗力很强，能围攻哪怕驼鹿这样的大型鹿类。

怎样打倒一头麝牛？

骨丘
骨生长锥
额窦
麝牛角
骨质鞘

尖尖的、呈钩状向上前方挑起的牛角是麝牛的典型特征。公麝牛有非常强壮的角鞘，可厚达8厘米，甚至子弹也无法穿透它坚硬而又富有弹性的牛角头盔。为抵御狼的进攻，麝牛们牛角朝外围成圈，将小麝牛置于圈内。

有经验的狼群还是有办法冲破公麝牛的保护圈。小麝牛在它们持续不断的嚎叫声中吓破了胆，四下逃窜。牛犊在狼面前简直就是盘中餐。年迈的麝牛有时也难敌独狼。狼接近这个体型是自己5倍的大块头，从前方反复进攻，俯下身避开牛角的攻击。麝牛知道狼攻击的目标是自己尤其怕痛的鼻子，只得不断退后并抬起头来防止鼻子被咬到。

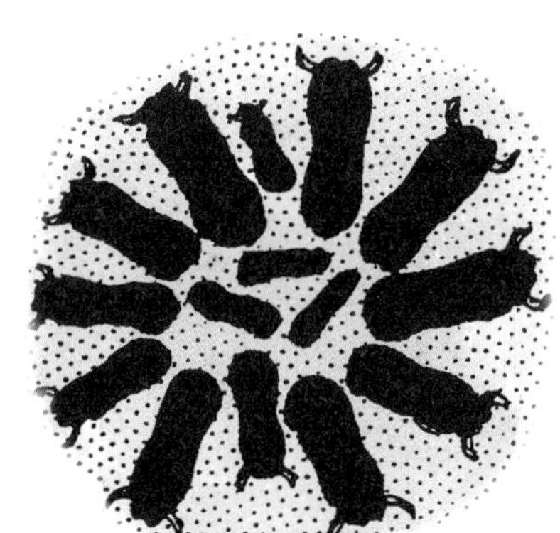
刺猬式的防御阵型

这样一场生死较量能持续一个小时以上，直到步履更轻快、身手更敏捷的狼将麝牛的体力渐渐耗尽。麝牛露出疲态，眨眼间的疏忽就让狼咬住了鼻子。这一口让麝牛疼痛难忍，以致在接下来的拉锯战中完全无法甩开对方，身体因疼痛而瘫痪。狼则一直咬住不放，直到它觉得时机完全成熟，就迅速咬住猎物的咽喉并置其于死地。

1. 被攻击的公麝牛试图躲开……

2. 公麝牛小心保护自己敏感的鼻子……

3. 狼咬住对方鼻子不放，最后咬咽喉使其毙命

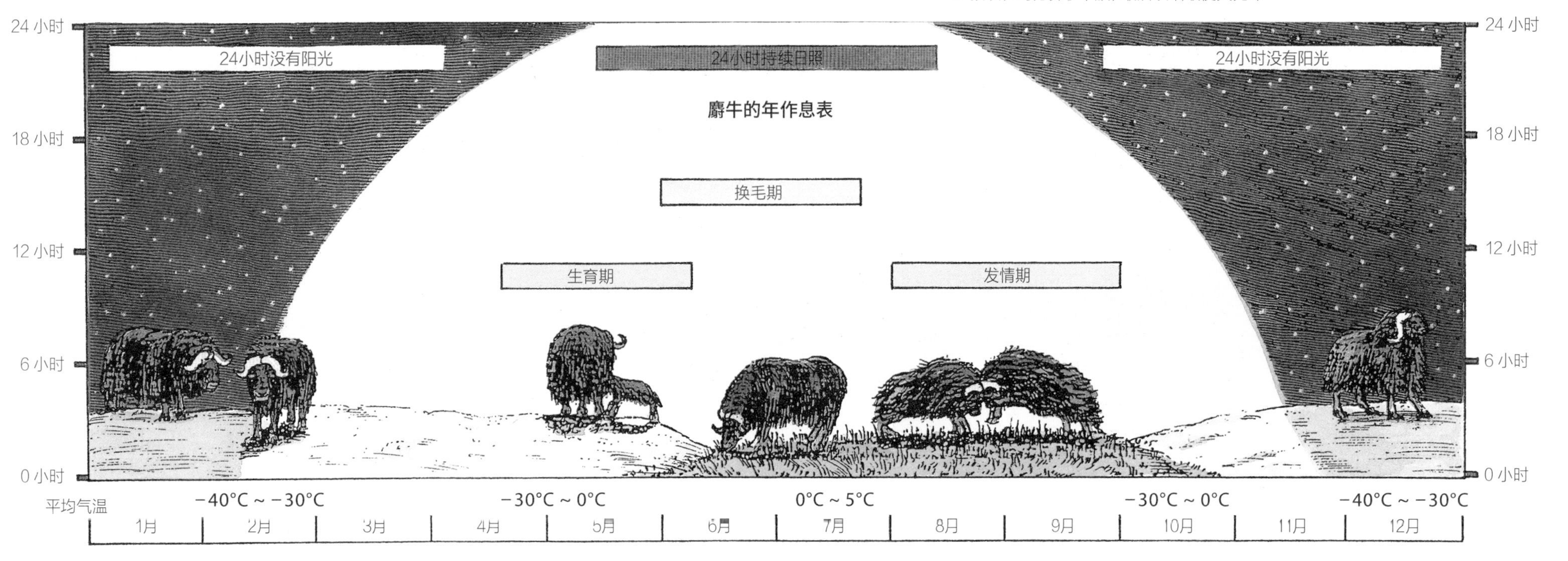

雨滴挂满蛛网
——谁能原样效仿？

克里斯蒂安·莫根施特恩（Christian Morgenstern）

第四章

小生境[1]与适应力：动物生存的技巧

我们能在动物园里实施许多在野外难以完成的科学观察和研究。比如，我们用“海拉布伦配方”麻醉土拨鼠后，在其体内植入微型遥感温度计，这使我们得到了关于土拨鼠冬眠行为的新认识。

小生境（见第四章标题），又称生态位、生态区位，小生境是一个物种所处的环境以及其本身生活习性的总称。每个物种都有自己独特的小生境，借以跟其他物种做出区别。小生境包括该物种觅食的地点，食物的种类和大小，还有其每日的和季节性的生物节律。——编者注（全书脚注均为编者注）

土拨鼠冬眠的故事

土拨鼠警卫发出尖厉的叫声，
警告大家有鹰出现

为了能在高山地带安然过冬，土拨鼠从10月到来年的4月初集体冬眠。这段时间里，它们将夏天获得的脂肪储备从1200克消耗到仅剩100克，体重也比秋天时轻了约35%。心跳、呼吸以及新陈代谢减缓，体温也从37℃降到5℃。

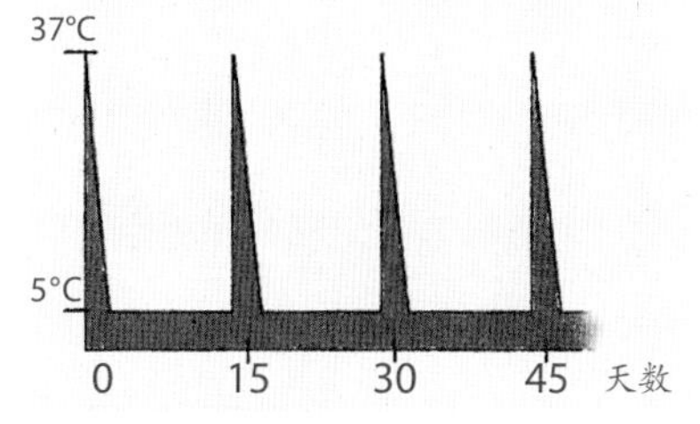

土拨鼠冬眠期间体温变化图

植入的微型温度计数据让我们进一步确认，土拨鼠一家冬眠时挤在一起互相取暖。家庭成员们在一起能提高最年幼土拨鼠的存活率。如果没有哥哥姐姐帮着保暖，仅靠父母很难把脂肪储备最少的小家伙顺利带过冬天。皮肤上特殊的温度感受器显然能让它们感觉到彼此的温差，而且年纪越大的土拨鼠，能给小土拨鼠提供越多的热量。冬眠期每15天中断一次，家庭成员们的体温同时上升到37℃。接下来它们排队到隔壁的小洞穴去上厕所，回来后又一块儿呼呼大睡。冬眠能节省新陈代谢的能量，让土拨鼠一家顺利过冬。

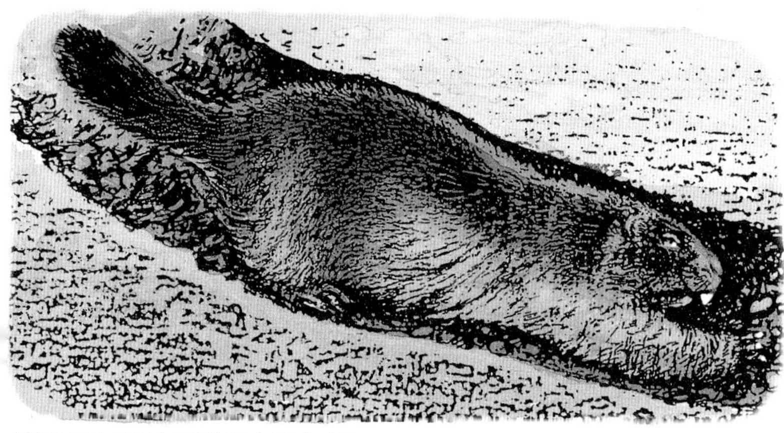
土拨鼠用锋利的前爪能将洞穴挖到7米深

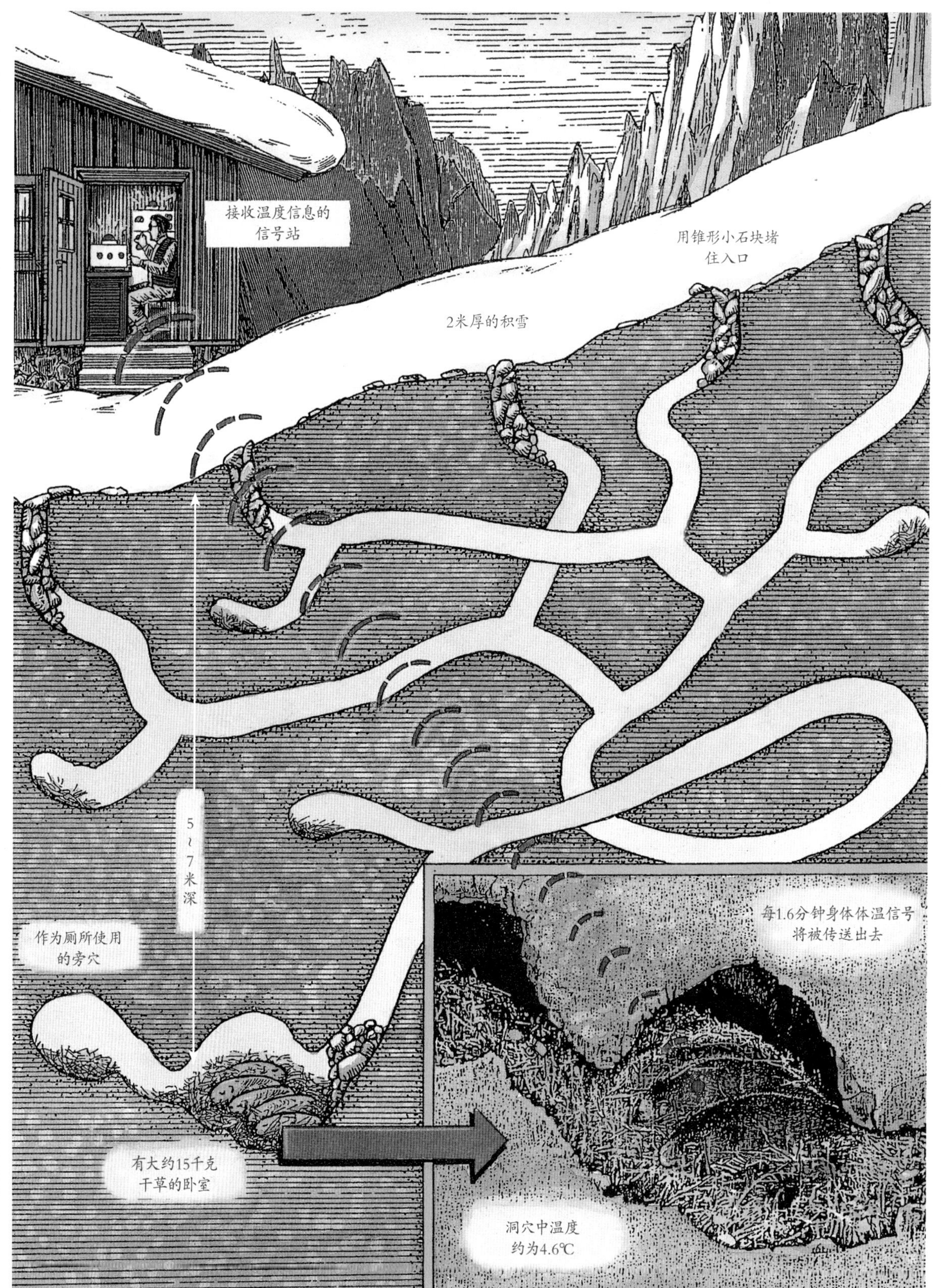

臆羚和北山羊向我们展示出偶蹄类动物是如何采用不同的生存技巧生活在同一区域，并避免因食物竞争引起冲突的。今天生活在阿尔卑斯山区的北山羊有20 000多头，谁能想到，它们竟是由当年动物园及狩猎围场里仅存的不足50头发展而来的呢。

以降水量为界

和本地其他偶蹄动物相比，北山羊和臆羚更适应高山地区艰苦的生存环境。和臆羚在整个阿尔卑斯山区的广泛分布不同，北山羊在该地的生活空间极为有限，分散在如孤岛般的几个区域中。在三分之一的栖息地中生活着尚不足20头的“攀岩好手”。

人们进行了多种尝试，想让北山羊定居到非原产地的阿尔卑斯山北坡，结果时好时坏。阿尔卑斯山陡峭的南面及西南面才是适宜它们安家的地方，因为这里降水量较小，有3000米到4000米高，而且在冬季还能得到充足日晒。北山羊主要分布在阿尔卑斯山中部，比如大帕拉迪索国家公园、蓬特雷西纳、采尔马特以及其他小型冬季草场。北山羊在这些地方还能找到食物，雪体滑落还进一步限制了它们栖息地的大小。

臆羚的活动几乎不受积雪厚度的影响，而积雪若是厚约130厘米（采尔马特大约70厘米），对北山羊来说就不太妙了。它们会因为身躯沉重而陷入雪地。轻盈灵巧的臆羚此刻还能四处觅食，被誉为“阿尔卑斯的巡游者”。但在冬季草场足够大的情况下，比臆羚更不挑食的北山羊就成了臆羚强大的食物竞争者。格拉茨的东北面、阿尔卑斯山东部边缘积雪较少的赫霍兰什山地区，在过去并不是北山羊的地盘。可北山羊发展态势良好，简直就是用自己的胃战胜了“原住居民”臆羚，把它们赶到40千米以外但积雪超过2米的野山山脉栖息地。

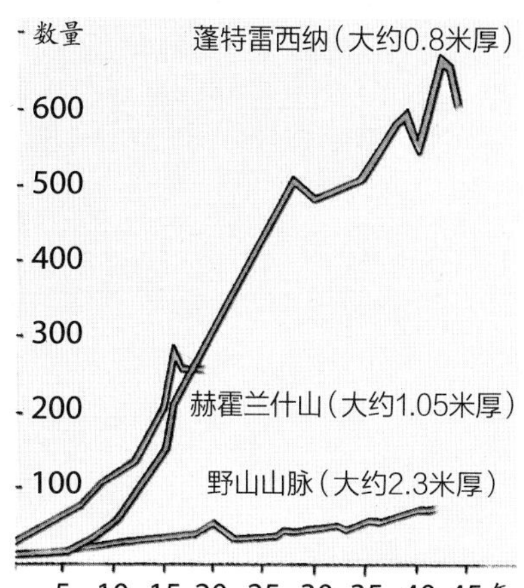

北山羊数量增长及不同地区年平均积雪量曲线图

我们也能在阿尔高地区的北山羊栖息地发现同样的情形，比如贝希特斯加登的偌提以及巴特特尔茨的本纳迪克特崖。比起欧洲大部分偶蹄动物，北山羊对气候敏感得多。正因如此，它们的自然繁衍随时都会被人为引进的其他物种影响。这些无视自然规律的行为给大自然平衡带来了持久的破坏。

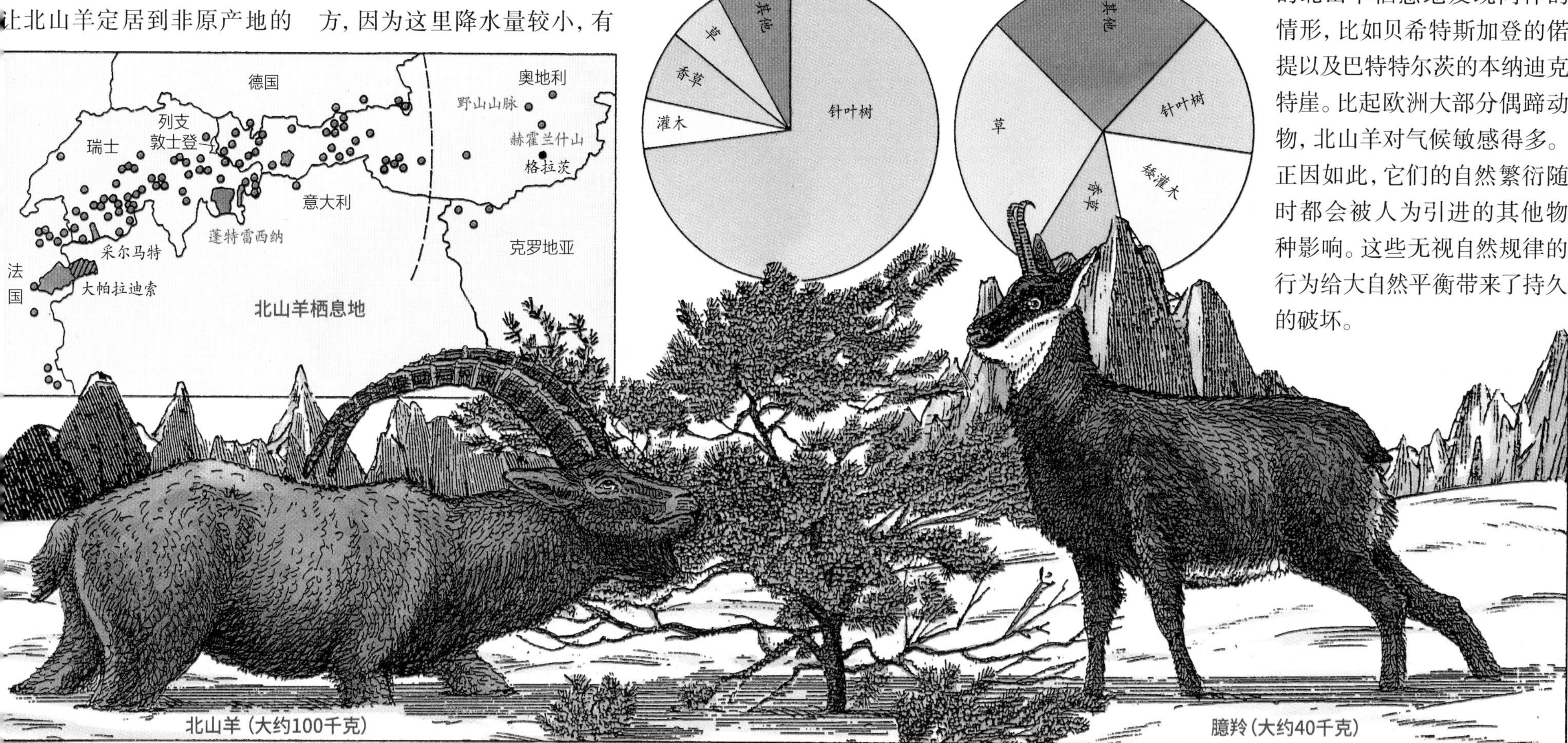

正如我们在农田里实行单作物种植给鹌鹑、灰山鹑以及兔子带来灾难性后果一样，马达加斯加狐猴这个“高楼大厦”里的主人，也被土地及大种植园的开垦逼得离开它们最后的家园。剩下的动物保护区则不断完成类似“野生动物园”的任务。

森林里的“高楼大厦”

原始森林里的马达加斯加狐猴们形象地展示出它们居住的“高楼大厦”。领狐猴主要生活在原始森林顶部的树冠区；褐狐猴则大部分栖息在稍低一些的树身；环尾狐猴穿梭于灌木和草丛，也就是说他们生活在这栋大楼的不同楼层。三种非常近似的动物相安无事地生活在一处，既不会抢地盘，也不会因为争食而起纠纷。

人类对原始森林的砍伐和经济作物的种植使得狐猴们生活的“大厦”不断被破坏。原先生活在树身和树冠上的动物被迫面临抉择，要么适应地面生活，要么举家迁徙。这意味着不可避免的种种矛盾和食物竞争。适应能力较差些的动物会遭遇灭绝的厄运。动物和生存环境总是构成一个不可分离的生物学整体：所有动物都是如此，只有生存空间得到维护，它们才能在自然中幸存。

偶蹄动物在两百万年前开始“想到”把瘤胃[1]演化成大消化室，由其中的微生物完成大部分消化工作，这实在是演化史上的一步“妙棋”。瘤胃对四季差别悬殊的食物结构具备极灵活的适应力，得益于此，反刍动物们不仅分布广泛，而且品种多样。

[1] 瘤胃是反刍动物的第一个胃，一般也是最大的一个胃。在这个胃内寄生着大量的微生物，食物进入瘤胃后在微生物的作用下得以被分解。

美食家还是饥饿艺术家？

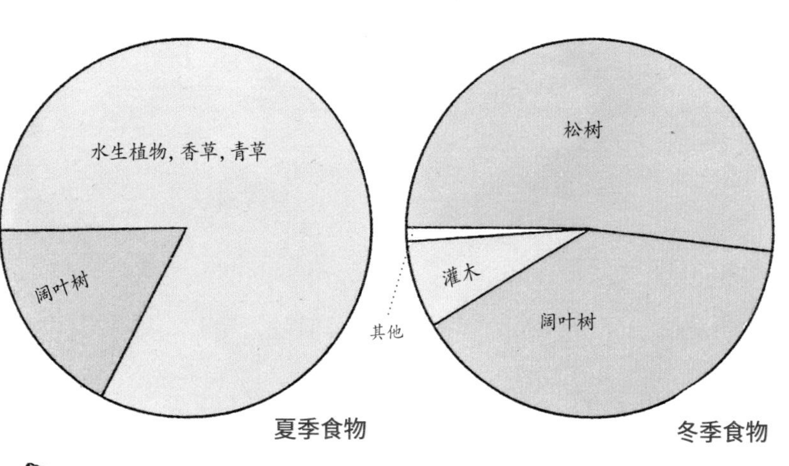

驼鹿生活在北半球的欧亚大陆和北美大陆的森林地区。和大片的乔木林相比，它们偏爱有着风倒木、阳光、零星湖泊和沼泽的河岸地带。在这种栖息地里，它们能用灵巧的鹿吻取食250多种富含蛋白质的植物嫩芽、花蕾及叶片。铃兰或捕蝇菇等有毒植物点缀着它们已经异常丰富的食物拼盘。为吃到萍蓬草或菖蒲的根茎，驼鹿甚至能潜至水下5米深。

这些富含蛋白质和热量的夏季食物为它们提供熬过6至8个月漫长冬季所必备的脂肪储蓄。在冬季，驼鹿摇身变成“树木啃食者”，并以松树的针叶、枝条和树皮为生。尽管这些粗陋的食物使它们的体重急剧下降，但驼鹿以树木为食的超强适应力让它们比其他有蹄类动物更具生存优势。所以即便在持续积雪厚达1米以上的地区，它们也能安然越冬。

铲状角还是枝杈状角？

在品种丰富的鹿科动物中，驼鹿与众不同的是其鹿角骨结节基座面朝两侧，且向额骨两侧平面伸展。驼鹿角的形状则富于变化，既有马鹿那样的枝杈状鹿角，也有呈扁平铲状生长的鹿角。在同一生态环境中的欧洲驼鹿有些有粗壮的枝杈状角，也不乏铲状角，铲状角驼鹿在体型上也毫不逊色。我们在俄罗斯驼鹿身上能发现因为地理环境不同而导致的鹿角形状差异。在高加索地区铲状鹿角很少，在乌苏里江地区根本没有发现，而东西伯利亚却出现非常大且粗壮的铲状鹿角。枝杈状或铲状鹿角的形成肯定不是受食物影响，而很可能受其他条件限制。因为即使给最健硕的枝杈状角驼鹿吃最富含营养的食物，它们的角也不会变成铲形。最大的铲状角驼鹿出现在阿拉斯加。那里有宽度超过2米、鹿角铲形宽度超过50厘米、骨结节基座圆周为23厘米的鹿角狩猎战利品，整个鹿角重20多千克。阿拉斯加同样也不乏健壮的枝杈状角驼鹿。

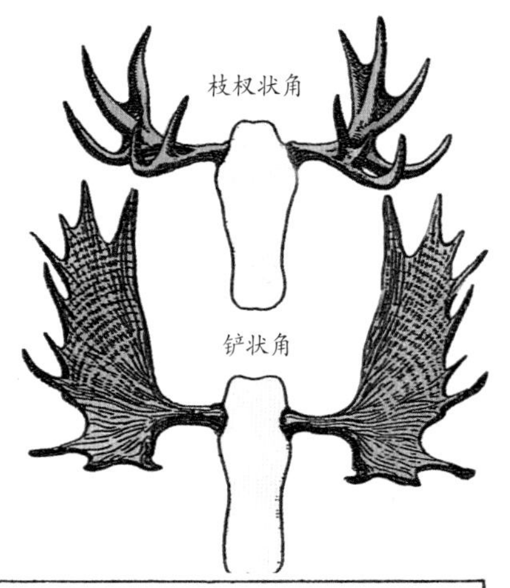

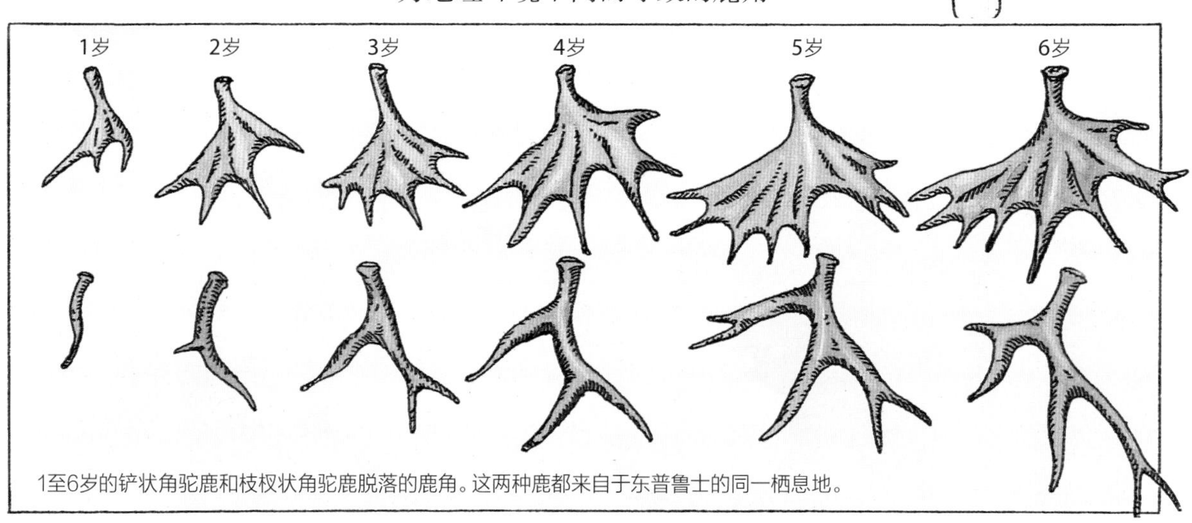

1至6岁的铲状角驼鹿和枝杈状角驼鹿脱落的鹿角。这两种鹿都来自于东普鲁士的同一栖息地。

什么是伴人物种(synanthrope)？一大早麻雀就在屋檐上叫开了，乌鸫、椋鸟和鸽子也加入这首多声部大合唱。夜里，睡鼠在房顶上发出窸窸窣窣的声音，饥饿的狐狸干脆一头扎进垃圾桶，省去捉老鼠的麻烦。野生动物们一直都具备超强领悟力，知道如何适应由人类创造的新型生物环境。

伴人物种，驼鹿

在大力发展农业引起的环境巨变中，正如狍子远比兔子和灰山鹑更有适应力一样，瑞典的驼鹿也成为伴人物种，原因在于瑞典木材工业的现代化经营模式。巨大的机器代替了伐木工，人们在砍掉树木的同时也种下树苗，造成非自然性的大面积林木更新。这种情景在以往即便是大型森林火灾后也不可能出现。再造林以生长迅速的松树为单一树种，由直升机撒播氮肥和矿物质肥。另外人们还通过引流使沼泽干涸，以扩大松树的种植面积。

这下，喜爱氮肥的青草和香草拥有了极理想的生活条件。次生植物群落顺势大量生长繁殖，还阳参、黄连花、羊角芹、柳叶菜以及其他植物为驼鹿提供夏季美食。冬天驼鹿们则津津有味地啃食松树度日，大面积啃咬给植物表皮带来极大损害。由于丰盛的食物资源，驼鹿群中新生大量幼崽，同样双胞胎的出生概率也大增。幼兽越来越强壮，它们不像以前那样容易感染寄生虫病，小鹿渡过河流湖泊时发生意外或淹死的情况也越来越少。再加上诸如熊、狐狸和狼这些天敌的数目大幅减少甚至消失，驼鹿不再有面对肉食动物的生存压力。最终结果是，尽管狩猎量越来越高，驼鹿种群数量还是一路攀升。

次生植物群落

还阳参　黄连花　柳叶菜　羊角芹

20世纪，瑞典腹地驼鹿寥寥无几，已经面临绝种的威胁。现在，驼鹿的数量非自然上升，如果某个地方数量太多，它们就得搬家，跳跃性开发新的生活空间。有时为找到新栖息地，它们要迁徙1000多千米。它们趟过沼泽，游上20千米，并知道如何绕开公路上的野生动物保护栅栏。甚至瑞典城市里都出现过迷路的驼鹿分队，它们在公路上引发的交通事故明显增多。驼鹿成为生物平衡陷入混乱的一个显著标志。

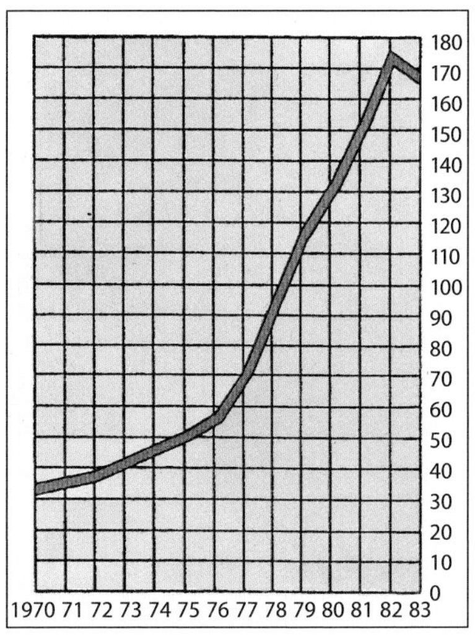

瑞典驼鹿狩猎率和种群数目发展图
横轴为年份，竖轴为种群数目
（数字以1000为单位）

当詹姆斯·库克船长1770年和研究小组到达澳大利亚的时候，这些专家们被震惊了：奇怪的袋鼠竟然用口袋孕育胚胎，无需脐带和胎盘！难道它们完全是通过“发芽”来繁衍后代吗？二百多年的光阴逝去后，动物学家们才终于弄清袋鼠们繁殖策略的奥秘。

小袋鼠真是在妈妈肚子里“发芽”的吗?

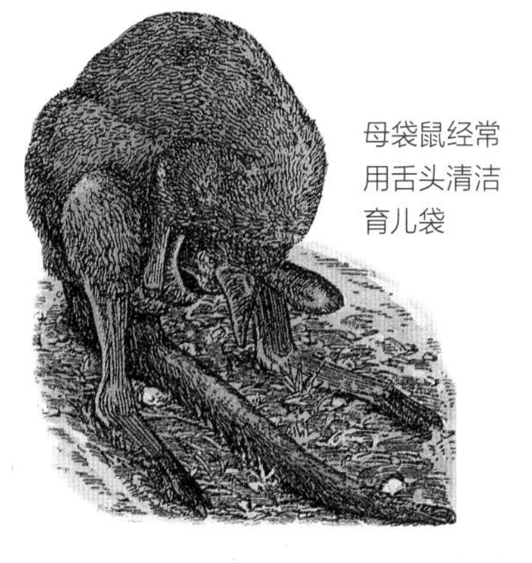
母袋鼠经常用舌头清洁育儿袋

勉强可以这么说，高等哺乳动物的幼兽通常在母亲子宫里发育，母血通过胎盘供给营养。原始有袋动物却演化出一套既经济又风险小的繁殖方式。受孕33天后的袋鼠孕育出一个重约0.8克、长1厘米的胚胎，它能自行钻出羊膜。这个微型宝宝从生殖口出发，3分钟内就能用长着小爪子的前掌顺着妈妈在皮毛上舔出来的小道爬进育儿袋里，爬动方向正好和重力方向相反。科学家特意做了一个实验，将正在生育的袋鼠妈妈麻醉后头朝下倒置，结果小家伙就爬错方向，找不到妈妈温暖的育儿袋了！可见迷你宝宝有明确的运动方向感，简直是个奇迹。

在育儿袋的四个奶头中有一个像花蕾一样胀得鼓鼓的，仿佛急切地盼望着小袋鼠快快长大，袋鼠宝宝靠发育良好的嗅觉系统准确地叼住了它。借助特殊的乳头肌肉，妈妈能将富含蛋白质的乳汁注入小袋鼠嘴里。当幼崽能自己吸奶的时候，这种特殊服务也就停止了。185天后小袋鼠第一次离开育儿袋；到235天，它已完全不需要育儿袋的保护；1岁的小袋鼠将开始自力更生。

刚生下这个胚胎不久，母袋鼠将再次交配，受孕的卵细胞经数次分裂，并以囊胚形式待在子宫里，此时幼兽仍在喝奶。随着青草比例在小袋鼠食谱中不断增加，囊胚开始发育成第二个胚胎，只等过31天后出生并爬向准备好的空育儿袋。这期间，哥哥或姐姐还时不时钻进来含住自己的“专属”乳头。这正是第二个奇迹所在！袋鼠妈妈的乳腺能生产出两种不同配方的奶水：给小宝宝的富含蛋白质；给大孩子的则富含能量和脂肪。这些小袋鼠虽然已经重达4到5千克，但还要125天才会完全断奶。当两个小家伙都有滋有味地喝着营养成分不同的奶水时，母袋鼠再度受孕，一个新的囊胚已等在子宫里随叫随到。

有袋动物之一袋鼠的繁殖方式比起其他“高等哺乳动物”来说更具优势。比如一匹母马在长达12个月的怀胎期里将面临各种各样的风险：胎死腹中、难产、更容易成为猎食者的目标，以及幼兽不够大时的高风险。袋鼠则不然，它们在干旱时期可以选择放弃腹袋中的幼兽，以保全自己或避免无效投资。

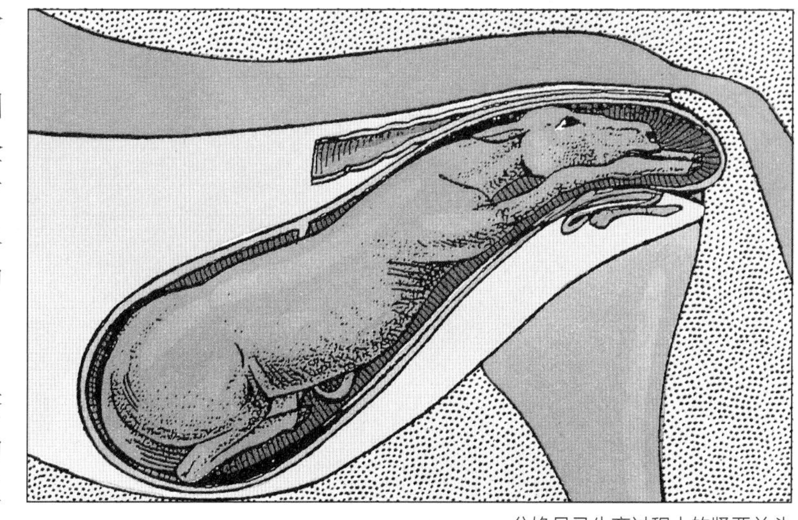
分娩是马生育过程中的紧要关头

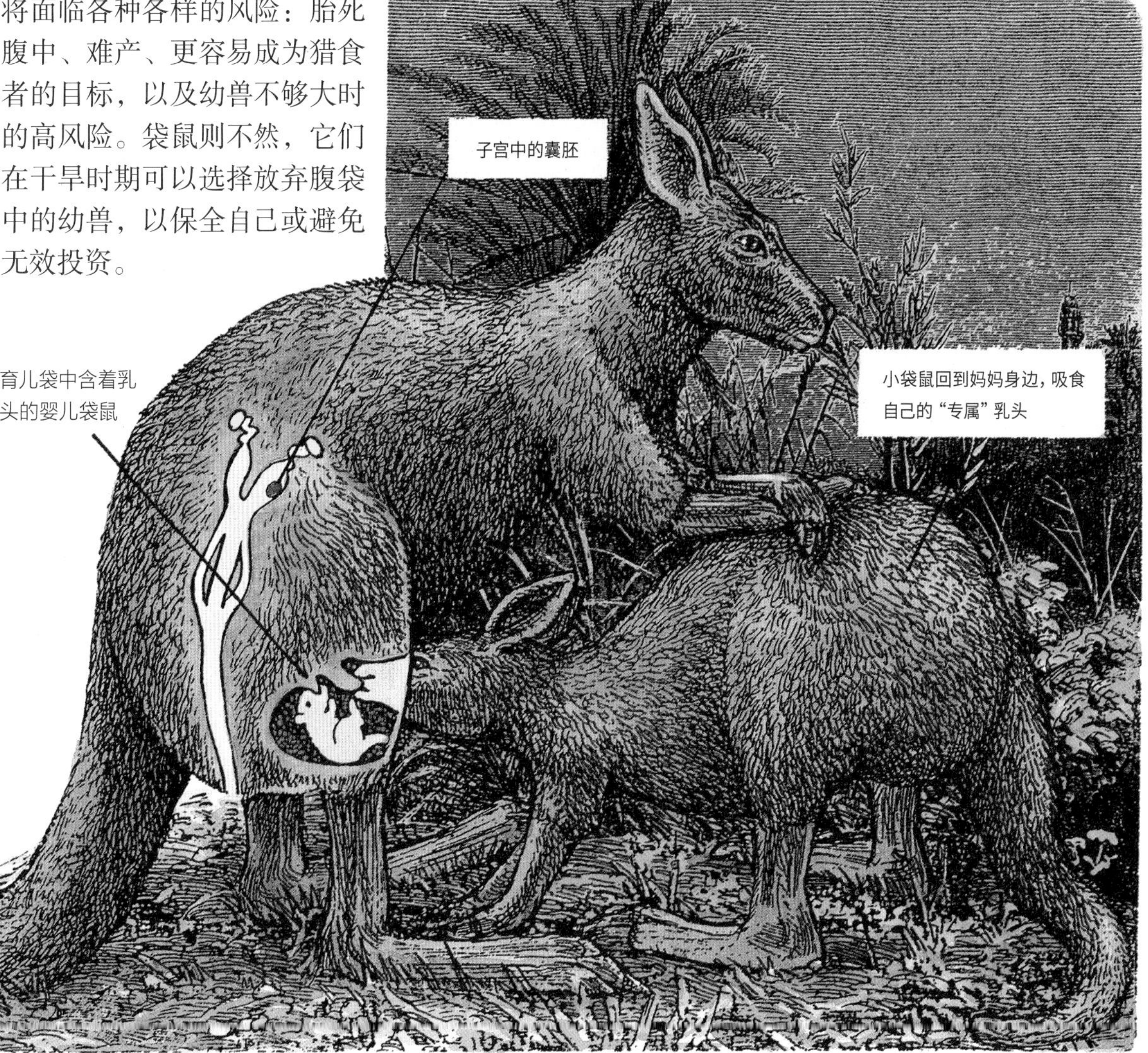

在我们动物园里，松鼠猴过着逍遥自在的生活。它们能随时离开本来就很大的岛屿状笼子，通过位于游客头顶上方的悬梯跑到更大的林区里去抓昆虫。到了晚上，它们又自动回到笼子里。

小社会

松鼠猴喜欢大规模群居生活，有时一群甚至能超过500只。它们是灵巧的攀爬跳跃专家，大脑的发育程度也较高。它们通过自己的眼睛随时控制跳跃过程，而人眼根本看不清这种精妙而快速的运动。它们在繁密的枝叶间跳来跳去，同时还能在空中捕猎昆虫和蜂鸟。

明确的社会秩序是庞大族群生活的前提，其中等级争夺的冲突乃是家常便饭。尽管活泼的松鼠猴彼此联系如此紧密，可令人意外的是我们竟然看不到它们互抓虱子的行为，这种具有理毛和社交功能的行为在其他猴群里可是司空见惯。和环尾狐猴用腋下腺体分泌物来摩擦尾部一样，松鼠猴则用尿液弄湿尾巴及手臂。

据估计，松鼠猴的尿液含有独特的气味信息，族群中每个个体都能以此标示出自己在群体中的地位。

小松鼠猴正用手掌和脚掌盛接尿液，以用它沾湿尾巴

松鼠猴热衷于在休息时一个紧挨一个“排排坐”。在夜里，这种方式可以尽可能防止身体热能散失。另外，簇拥在一起的集体也能有效防御敌人，比如巨蛇或猛禽。

小松鼠猴一出生就立即爬到妈妈背上，紧紧抓住妈妈的毛皮。当母猴生产后筋疲力尽，还在休养生息时，族群中另一名雌性伙伴已迫不及待要和湿漉漉的小家伙建立气味联系，这无疑是幼猴成为族群新成员的重要步骤。幼猴间则更多通过追逐、打闹和游戏进行相互交流。

回声探测仪能捕捉到数海里外鲸鱼的叫声，不过是人类的耳朵无法听到这模糊的低音调罢了。而海豚用一种非常复杂的声呐系统来探测海底地形，发现鱼群踪迹。

海豹会在茫茫大海中迷路吗？

假如海豹妈妈去远海捕鱼，小海豹如何才能找到妈吗？小海豹叫声的声波能同时在空气和水里传播，当然在水中速度要快得多。空气中的声波能被海豹妈妈的耳朵接收到，水中传递的声波也能被海豹身体特殊的组织传递到内耳。两个声波到达时间的差异能让海豹妈妈判定声音来自哪个方向，以及确定小海豹和自己的距离。

和海豚及蝙蝠类似，海豹也能通过回声定位系统来觅食。它们主要在夜间向水里发射一种短促的超声波，海豹能借助它区分不同密度的物体。海豹眼睛的构造使得它不论在陆地还是水下都具备最佳敏感度。在水下，光波在通过角膜时不会发生折射，能透过大而圆的晶状体在视网膜上投射出非常清晰的影像。而在陆地上，缝隙状的虹膜则可通过调节晶状体的弯曲程度以改变焦点深度。

海豹在水下能分辨出外形相同但密度不同的东西。在实验中，海豹能轻易区分充气橡圈和实心橡圈，哪怕它们在外形、大小和颜色上毫无二致。显然，它们和海豚一样掌握着能测定猎物方位的声呐系统。它们在浑浊的水中捕鱼时，触觉敏锐的小胡子大有用处。实验中一只刮了胡子的小海豹仍然成功地捕到鱼，估计这还是声呐系统的功劳。

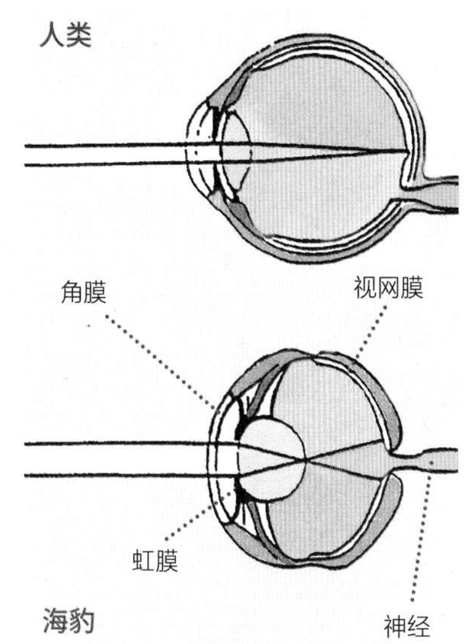

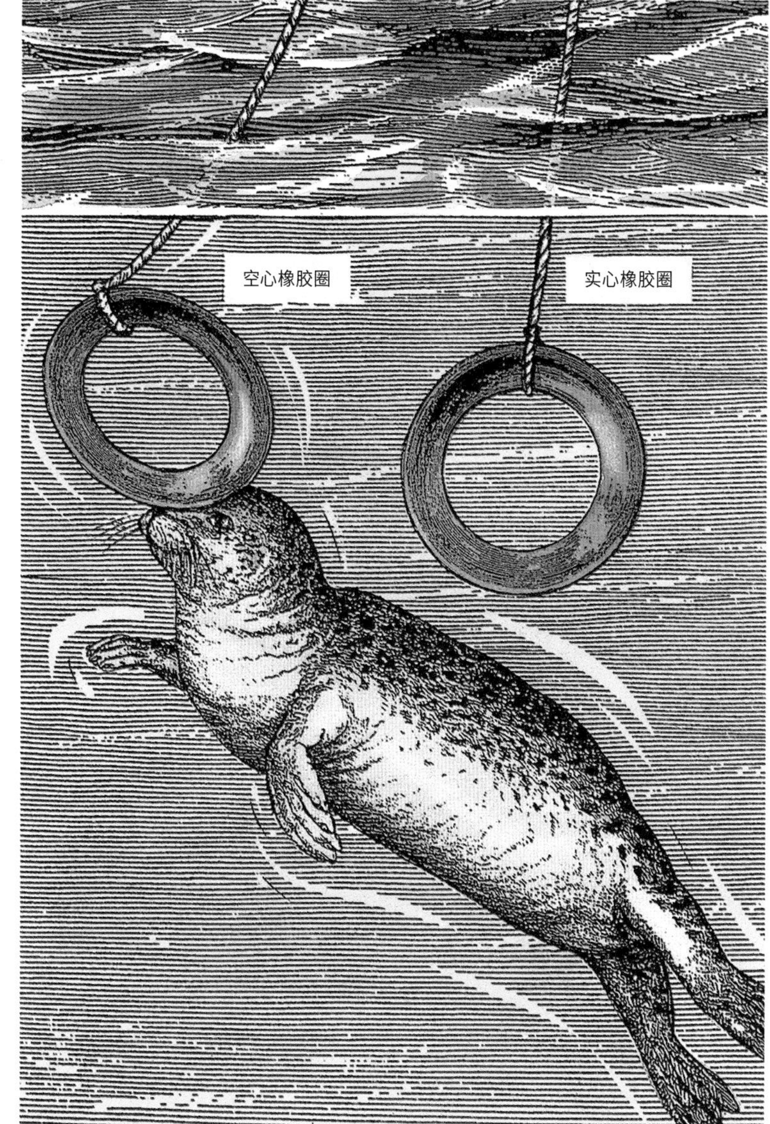

撇开人类无情的猎杀不谈，光是越发严重的水体污染和大量人工水道的开凿就可能导致德国的水獭灭绝。幸好，通过实施严格的保护措施，德国水獭的现存量又渐渐回升。

小胡子渔夫

和所有其他德国本地的食肉动物不同，水獭适宜在水域附近生活。它们跑过干涸的小溪后，泥泞上留下的脚印清晰地显示出脚趾间的蹼。强劲有力的尾巴能帮助

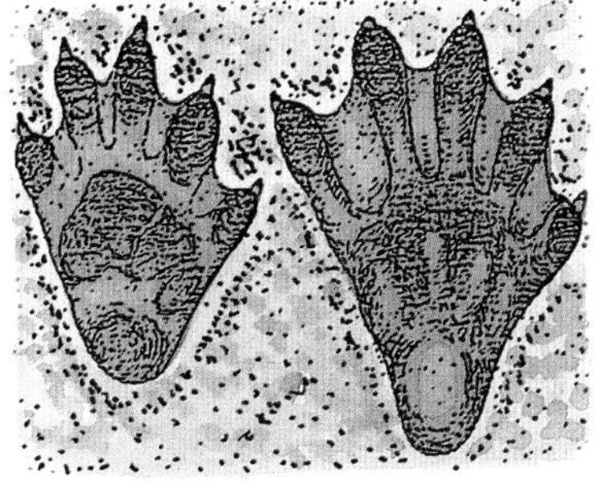

水獭留在泥地里的带蹼膜的掌印

它在捕捉鱼蟹时闪电般转身。它在水下可以待上4分钟，不借助水流也能潜游400米。

在浑浊的水域捕鱼时，水獭的胡须可派上了大用场。供血充足的海绵状的结缔组织围绕着胡须根部的毛囊。这种毛发被称为“触须”。触须借助皮下肌肉向前伸出，当遇到障碍时，充血的海绵组织能加强触觉信号并把它传送给周围的神经。因此在捕猎时，水獭的胡须有着“手指头一样的触觉能力”。我们能在许多夜行肉食动物和昏暗水域捕食的海豹身上找到这种“胡须”一般的触须。

松鼠的感觉毛位于臀部附近，它爬树枝时总能感觉到哪里有一个可以钻过去的洞口，而水獭的毛皮紧密细致，肚皮处仅1平方厘米的地方就有5万根毛发，能制成坚韧耐用的皮制品，因此曾被人类大量猎杀。今天，这种伶俐的小家伙在德国以及大部分欧洲国家里受到保护。

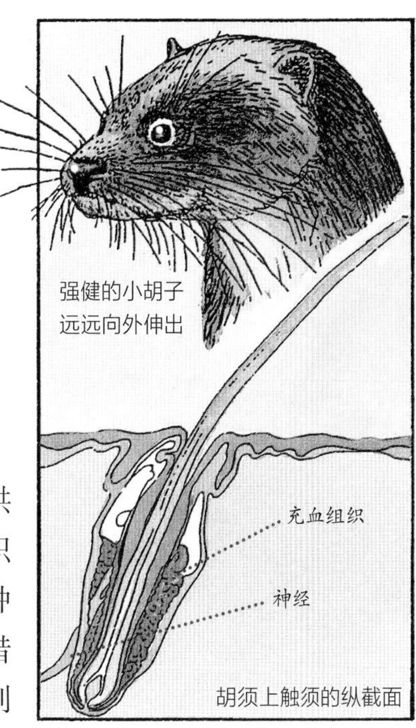

胡须上触须的纵截面

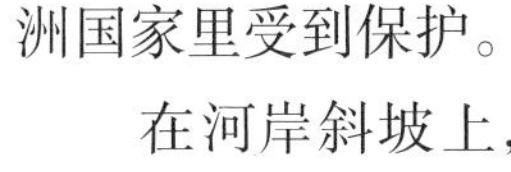

在河岸斜坡上，水獭挖出像模像样的滑道，以备一路下滑。小水獭就出生在父母筑出的洞穴里，且水路陆路两相通。水獭的鱼类食物来源中大约三分之一是鱼苗，其他则是不到200克的小鱼。它们主要猎食病鱼，从而作为“水中警察”在生物群落中起着非常重要的调节作用。它的食谱上只有大约45%是对人类也同样有经济效益的鱼类。

水獭趴着滑进水里

只有河湾较多的水域才适合水獭生存

人工水道破坏了生态环境，也不是水獭的安居之所

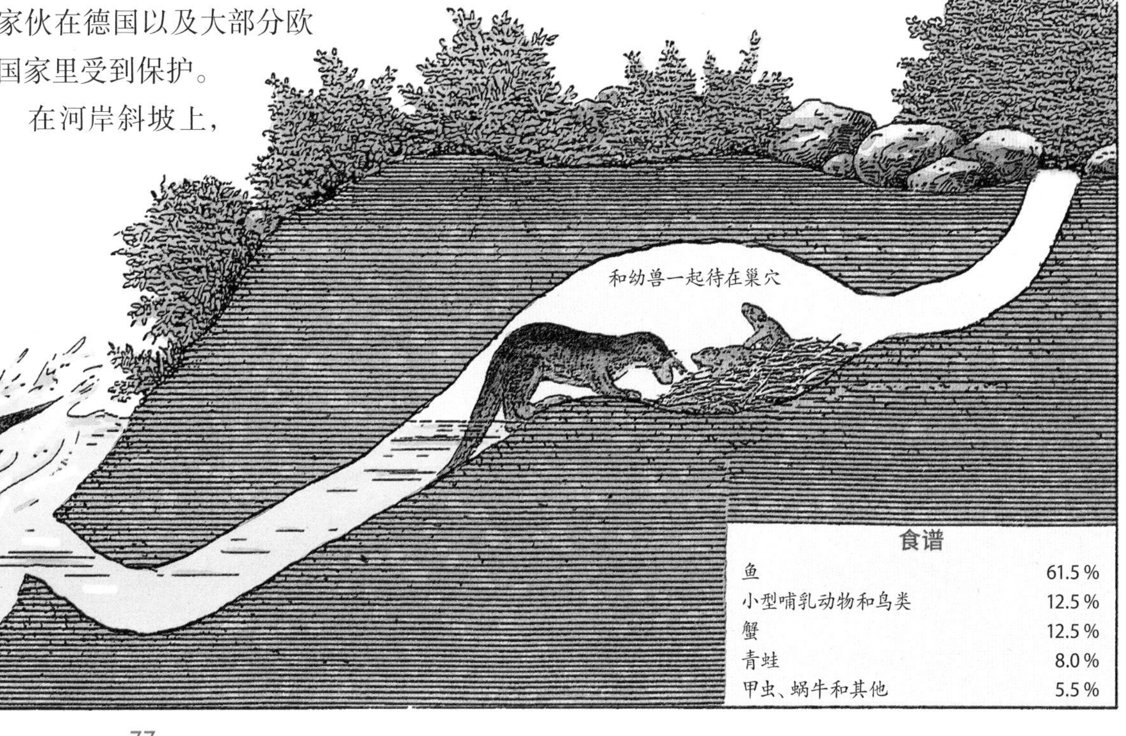

食谱	
鱼	61.5 %
小型哺乳动物和鸟类	12.5 %
蟹	12.5 %
青蛙	8.0 %
甲虫、蜗牛和其他	5.5 %

新一代来了，
老一代走了，
鹿皮马裤
留下来了。

伯里斯·冯·明希豪森（Börries von Münchhausen）

第五章
比我们年长一万倍的动物：
漫长的动物演化史

演化的结果有时极为成功，能产生出上百万年来在外形和生活方式上都没有什么改变的动物种类。比如，最近才被发现的来自科摩罗群岛水域的腔棘鱼，以及目前仍生活在东南亚和南美热带丛林里的貘。

貘，来自6500万年前的动物

东南亚的马来貘

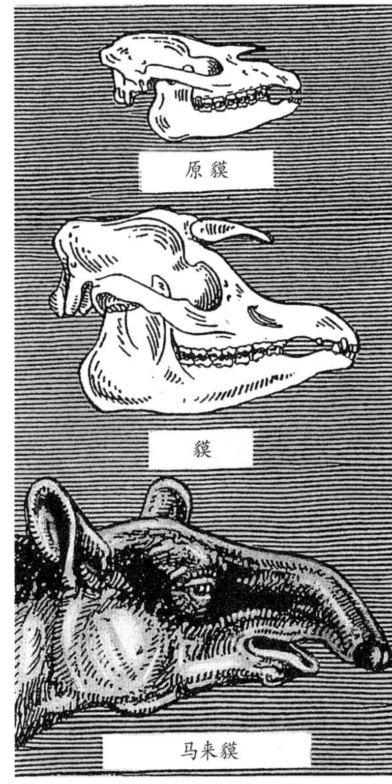

当今奇蹄目动物中，貘无疑是最原始的一种，因为它的身体构造自古近纪以来就没有太大改变。它们和来自始新世时期的始祖马一样，有着貘和马类共同的基本特征，即前蹄4趾后蹄3趾。另外，较低的槽牙齿冠和大脑发育程度也印证了貘处于较原始的演化阶段，它的演化过程仿佛到了古近纪就戛然而止。正因如此，它被人们称为“活化石”。

貘的长鼻子是相对很晚才演化出来的，它和象鼻一样也是由上唇和鼻子共同构成。所以，现代貘典型的鼻部结构能让鼻子活动更灵活，可这在原貘的面部骨骼上还没有出现。

幼貘身上和野猪相似的条纹能起到伪装作用

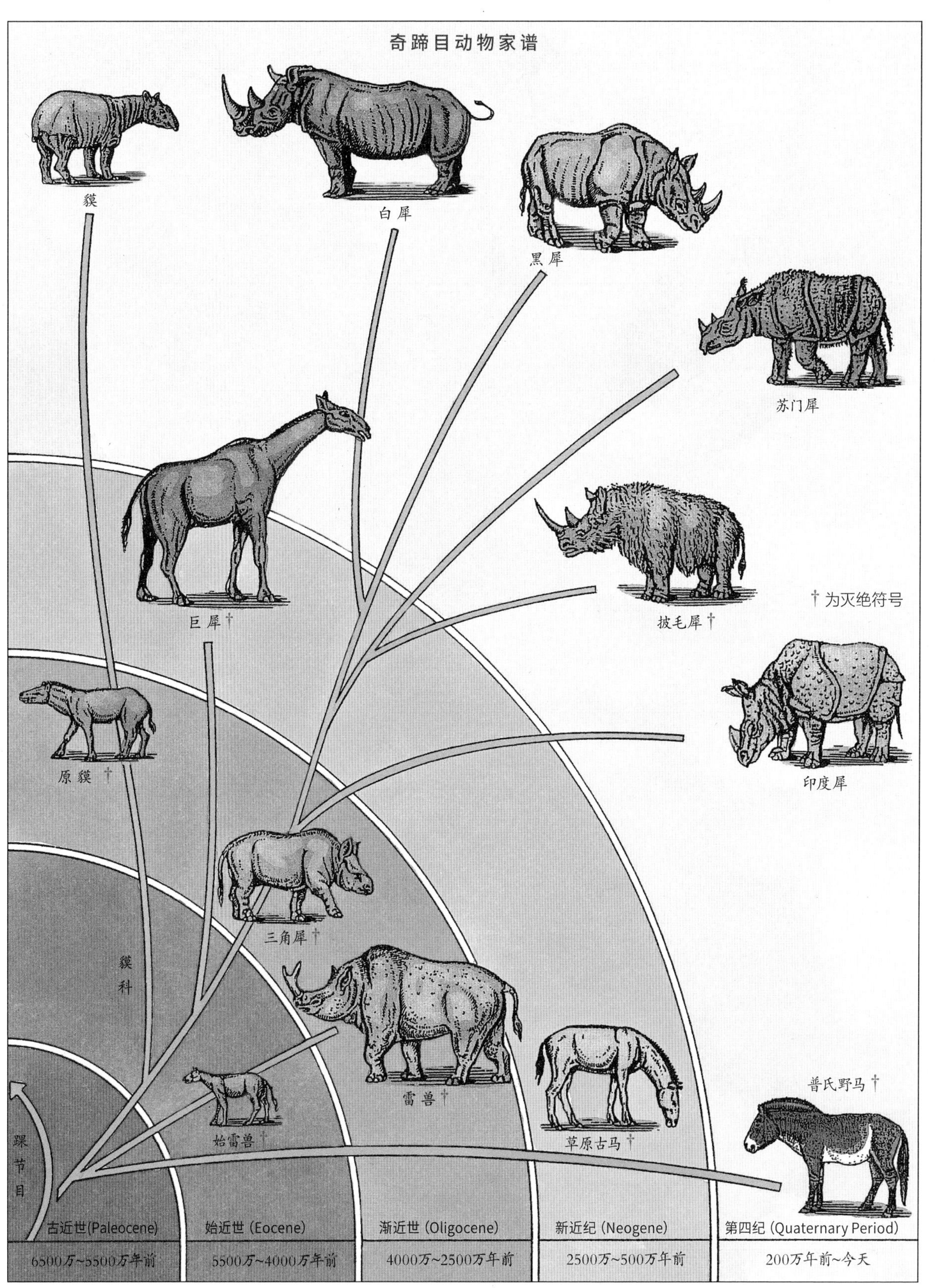

在干燥的中亚，骨骼化石能保存上百万年，这让我们有幸对犀牛的远古祖先有一个清晰的认识。地球上能和巨犀这样的庞然大物相提并论的只有恐龙，但它们更古老，在巨犀出现上百万年前就已经灭绝了。

能和恐龙比肩的犀牛

这些千奇百怪的犀牛的祖先早已灭绝，但它们曾在地球上繁衍生息了上千万年。骨骼化石证明，它们全都有3只脚趾，这和今天的犀牛、貘及马类相同，都属奇蹄目动物。犀牛的繁盛期从大约4000万年前的古近纪到100万年前。当时它们中的庞然大物是生活在中亚地带的无角巨犀，它看起来像长颈鹿，马肩隆高就有5.5米，是已知最大的陆生哺乳动物。栖息在欧洲草原上的披毛犀则和猛犸象一起存活到离我们最近的冰河时代。

两栖犀
身长大约4.5米
3500万~3000万年前
（北美、东亚）

猛犸象在冰河时期的欧洲草原上无疑是巨无霸，然而它的个头还不及现代非洲象。在非洲国家公园里一头成年公象能重达6吨，比如著名的阿赫莫德，光它的一颗长牙就有65千克！

象,远古时期的庞然大物

象在过去也属于外形和种类丰富多样的动物。根据象牙化石记录，它的起源可以追溯到5000万年前。非洲是大象的摇篮。它们的祖先从那里发源，足迹遍及整个欧亚、北美和南美大陆。恐象是其旁系的一支，大约400万到200万年前它们生活在欧洲和非洲原始丛林中。据推测，铲齿象因为专以水生植物为食，下颚演化成铲状，同时拥有肌肉发达的上唇。大约1100万至600万年前它们生活在蒙古。

撇开它们的奇形怪状不谈，在新近纪的乳齿象身上人们已经能看出以下发展趋势：上颚的一对门牙突出，典型的长鼻也开始形成。1100万至600万年前生活在西欧和中欧的原始嵌齿象的短鼻子看上去和貘类似。我们从欧洲猛犸象的身上已经能看到今天大象的模样。这些猛犸象在冰河时期，即大约30万到1万年前漫步在欧亚和北美草原上。猛犸象灭绝于全新世初期。

嵌齿象
2.3~2.5米

铲齿象
1.65米

恐象
3~4米

真猛犸象
3~3.5米

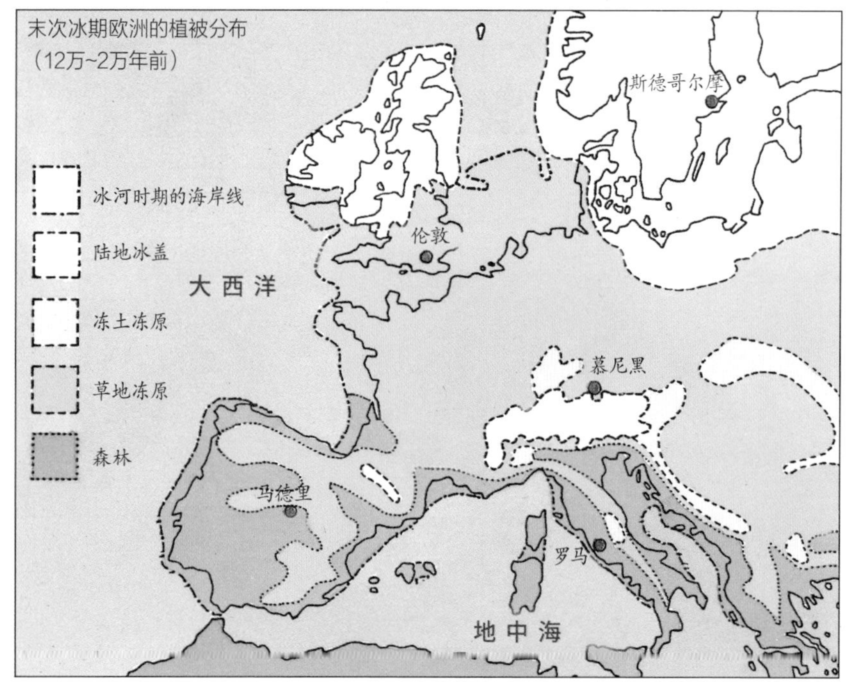

我们将生命起源中的各个环节拼接起来，经研究、理解后，才能真正领悟到生命的丰富多样和生命为了延续表现出的强大意志力。一个单一物种的演化史就已经给出了重要线索。

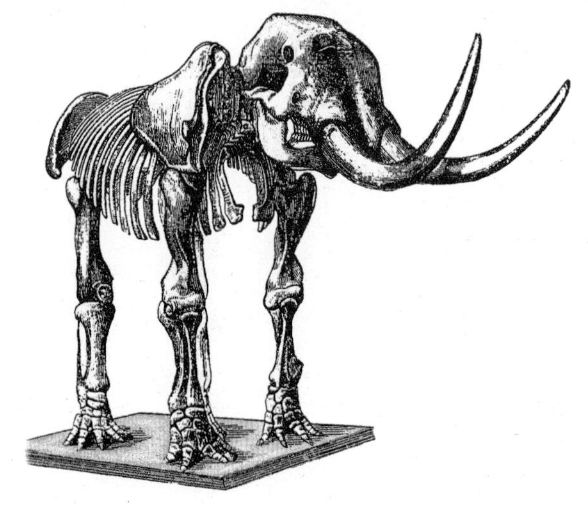

演化之路的分岔

大象最古老的祖先是埃及的始祖象（5000万年前）。它虽然还没有象鼻，但已经有了具有乳头状突起的槽牙，这也是所有大象的共同特征。后来，乳齿象的上唇和鼻子渐渐融合在一起形成象鼻。象鼻不仅能用来取食饮水，也能作为武器或潜水时的吸气管。长鼻以及庞大身躯都是演化渐渐给大象带来的优势。大象那分支众多的“家谱”充分显示出大自然为得到完美的长鼻曾尝试过多少条道路。可其中大部分都是“死胡同”，而这些物种也最终灭绝。大象达到了陆生哺乳动物体型的极限，一头5吨重的公象每天得吃上20多个小时，才能补充身体所消耗的能量。

我们今天所见的大象处在漫长演化过程的末端，也是大自然神奇创造力和多样性的范例。这个自然造化出的杰出生灵的命运正掌握在人类的手里：让我们善待它们！

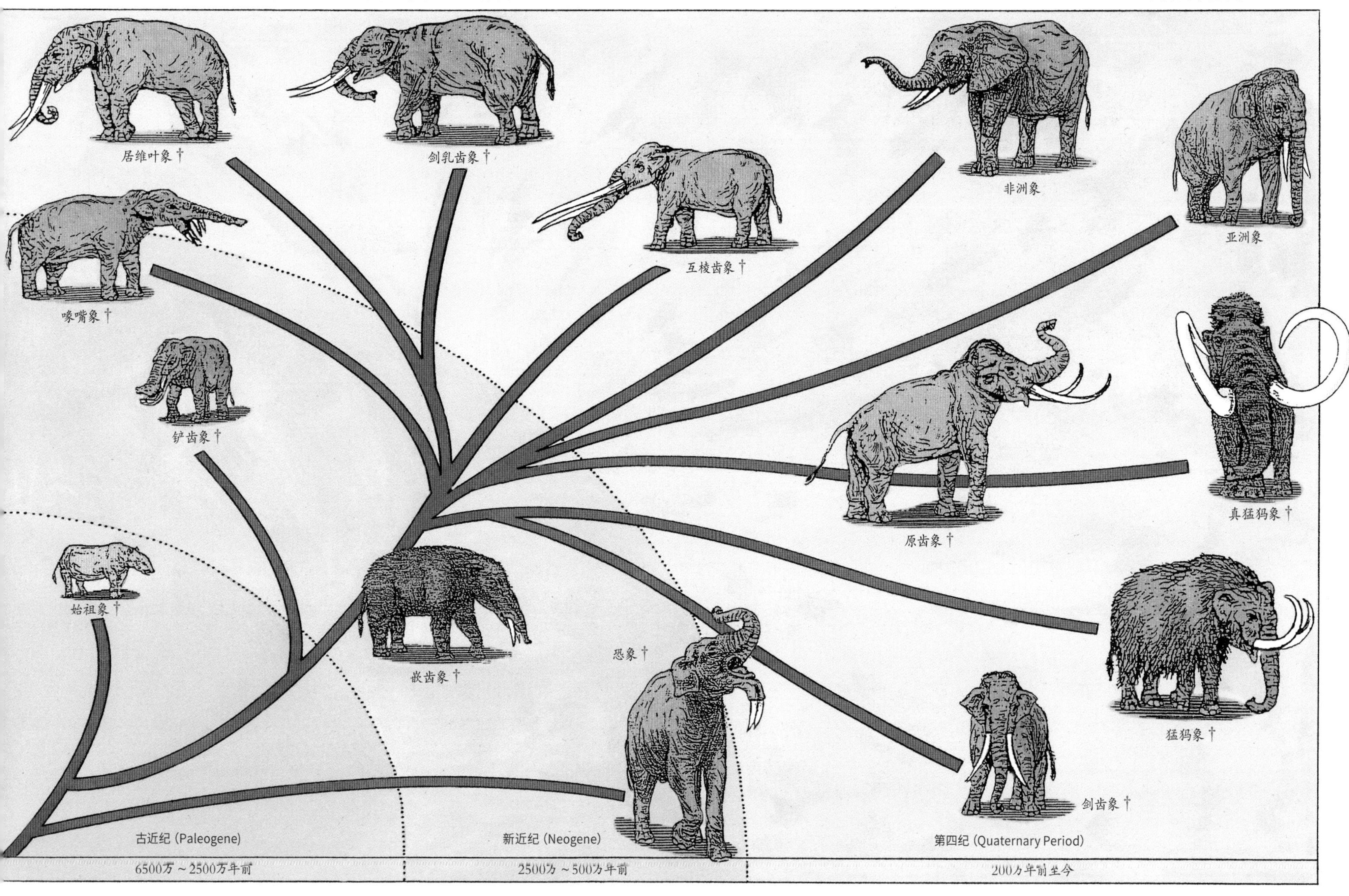

大象一共要长出6颗槽牙，上颚和下颚总有两个牙齿在相互摩擦。成年公象一颗这样的牙齿面积达到约320平方厘米，这相当于一块竖立放置的砖头的表面积。到了大约60岁左右，大象最后一颗牙齿都被磨损掉后，它的寿命自然也就到了尽头。

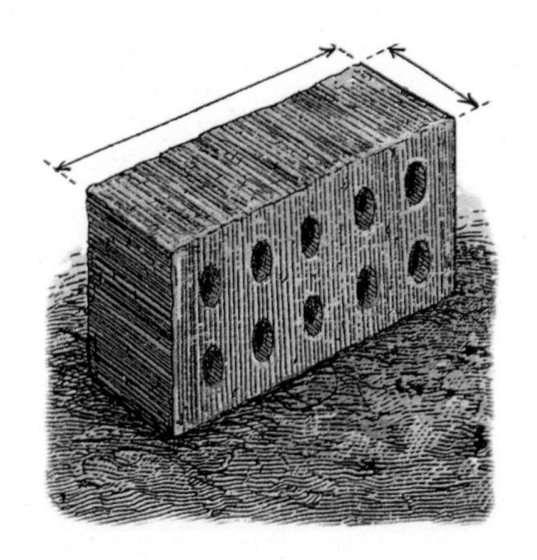

牙齿会因为气候而改变吗?

你一定不会相信气候变化会让很多动物的牙齿变得更坚硬。大象的演化史实际上就是一部大象槽牙的演化史。大象祖先的牙齿小且低平，牙齿基部融合，齿面布满乳头状突起。每个齿板有3到4排这样的突起，乳齿象即以此得名。这种有乳状突起的牙齿对咀嚼树叶和植物较柔软部分来说功能已经完全足够。

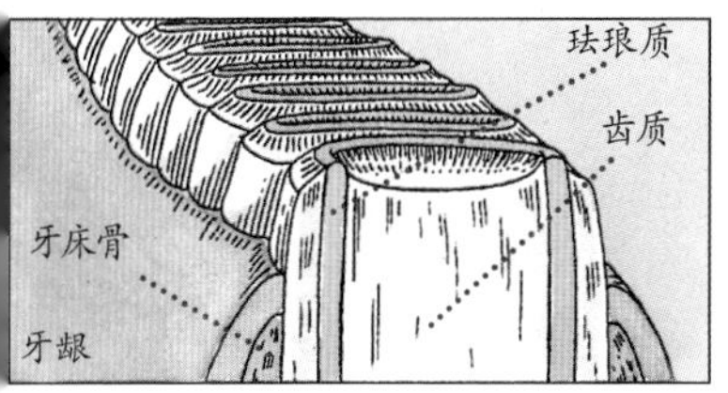

但在大约2400万年前的中新世，森林面积渐渐缩减，草原扩大。这些长鼻子动物的牙齿必须适应更坚韧的食物。于是，它们的槽牙在面积和锥状突起的数目上都不断增加，最后以27道紧紧挨在一起的珐琅质横脊代替了一个个乳突，并通过牙骨质融合在一起形成较高牙床。直到现在，这种高度特化的脊状齿还能满足大象的需求。大约1000万年前，随着大象槽牙的不断增大，槽牙形状也逐渐转为脊状齿，而大象的下颚长牙渐渐缩短，其抓取和防御功能也让位于长鼻子。

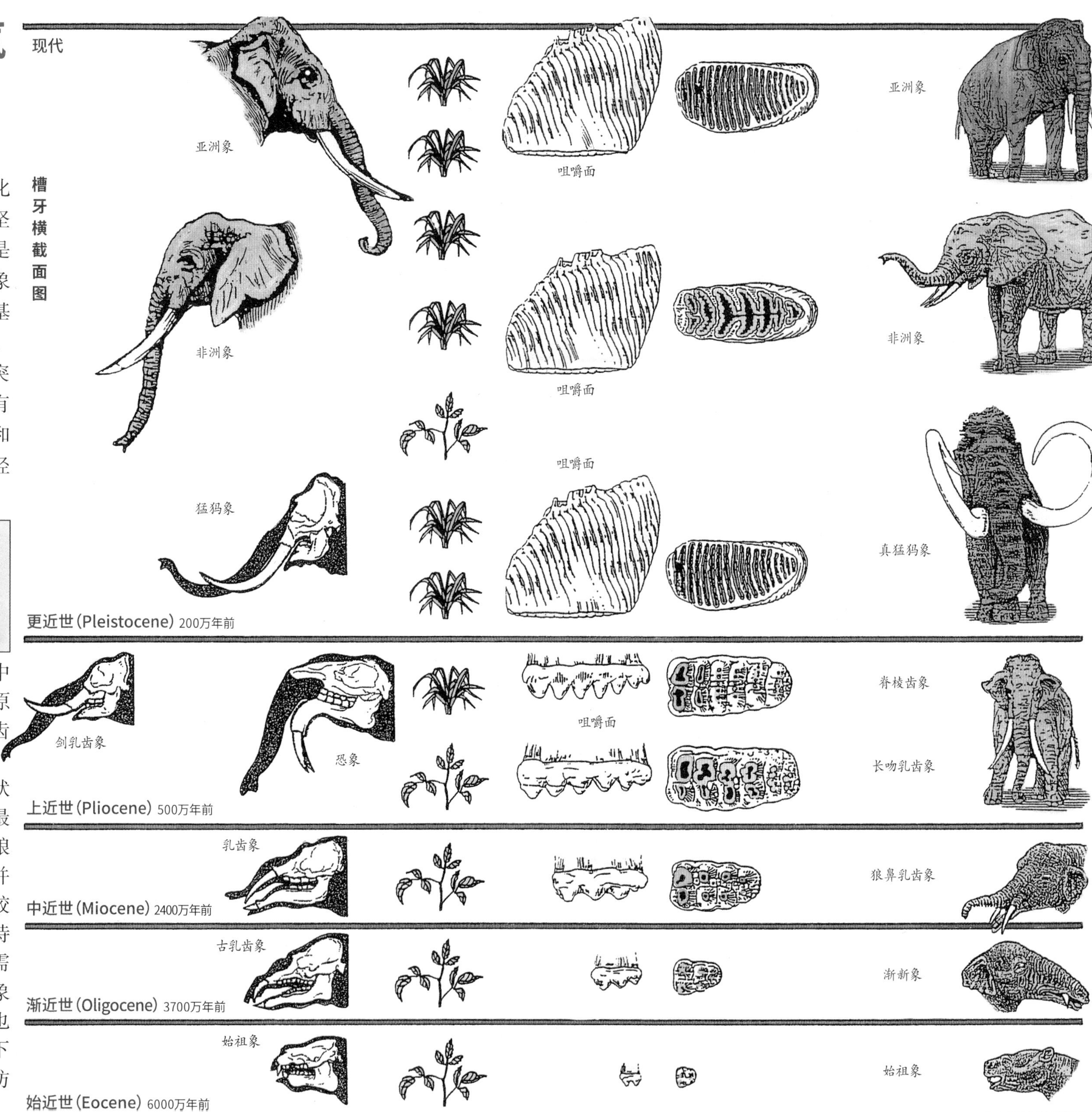

新物种的诞生是演化史中的一个进程。用人类的时间尺度来看，这个过程非常缓慢，但在地球生命发展的岁月长河中，它就如同在转瞬之间发生。比如因为洪水淹没陆桥导致某一物种被长年隔离，往往会因为基因变化而诞生出新物种。

新物种诞生记

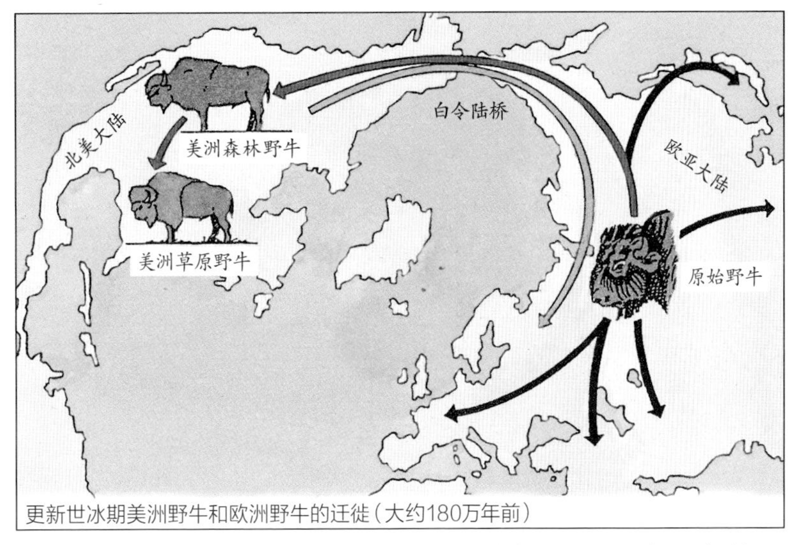

更新世冰期美洲野牛和欧洲野牛的迁徙（大约180万年前）

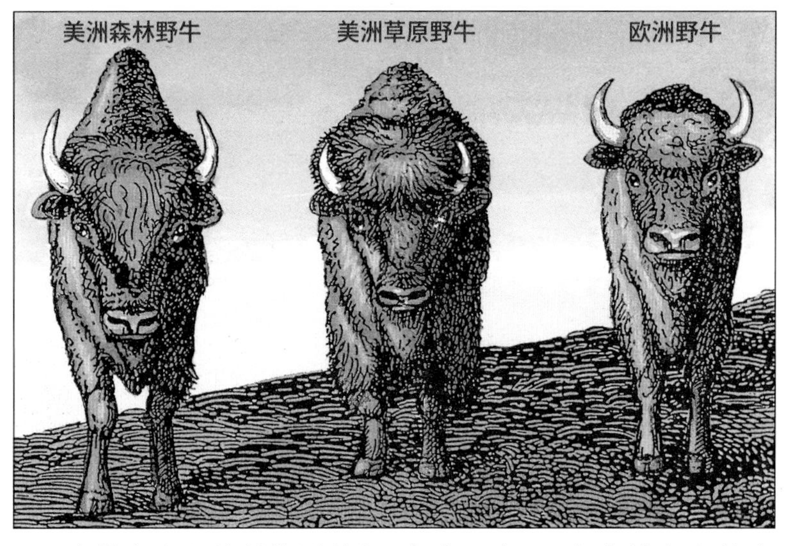

粗略看来，美洲野牛和欧洲野牛在外形上非常相似。人们该怎么解释远隔重洋的动物竟然如此类似？动物化石能给我们提供答案，它们也是了解物种产生和分布的唯一途径。

从演化上看，现有的全部野牛种类都来自约500万年前生活在亚洲的原始牛群。在冰河时代早期（约180万年前），一支野牛群离开欧亚大陆，穿过当时还存在的白令陆桥来到北美并形成美洲野牛属。它们在当地演化出长有大型牛角的美洲草原野牛和牛角较短的品种，前者已灭绝，后者则是现在美洲野牛和欧洲野牛共同的祖先。这些野牛后来沿原路返回，被称为更新世冰期欧亚大陆上的“回归者”。

在北美大陆幅员辽阔的土地上，作为当地最大的陆生哺乳动物，美洲野牛找到了理想的生活条件。它们在不同环境里分化成两个亚种，一支是生活在西北地带的美洲森林野牛，另一支美洲草原野牛则定居在南部。这后一支正是鼎鼎大名的“印第安野牛”。

毛色略深的美洲森林野牛在外形上和欧洲野牛更接近，且体型比草原野牛约大10%~15%。人们曾以为它们灭绝了，但1957年再度发现其踪迹。对美洲森林野牛的保育繁殖已经成为海拉布伦动物园的传统，因为早在20世纪30年代这个动物园就为抢救欧洲野牛做出了重大贡献。

印第安人和美洲草原野牛的关系无论在狩猎上，还是文化上都密不可分。世界上恐怕没有哪个民族和野生动物的关系能与之相比。当第一批欧洲人在狂野的西部定居时，估计当时野牛有4000万到6000万头。为了让印第安人的生活失去依托，他们对野牛开展有计划的屠杀，致使这群野牛在20世纪初只剩寥寥几头。一句印第安人的古老预言不幸成为现实：印第安人就像“野牛在冬日里哈出的热气”，一旦野牛消失，他们也将随风而逝。

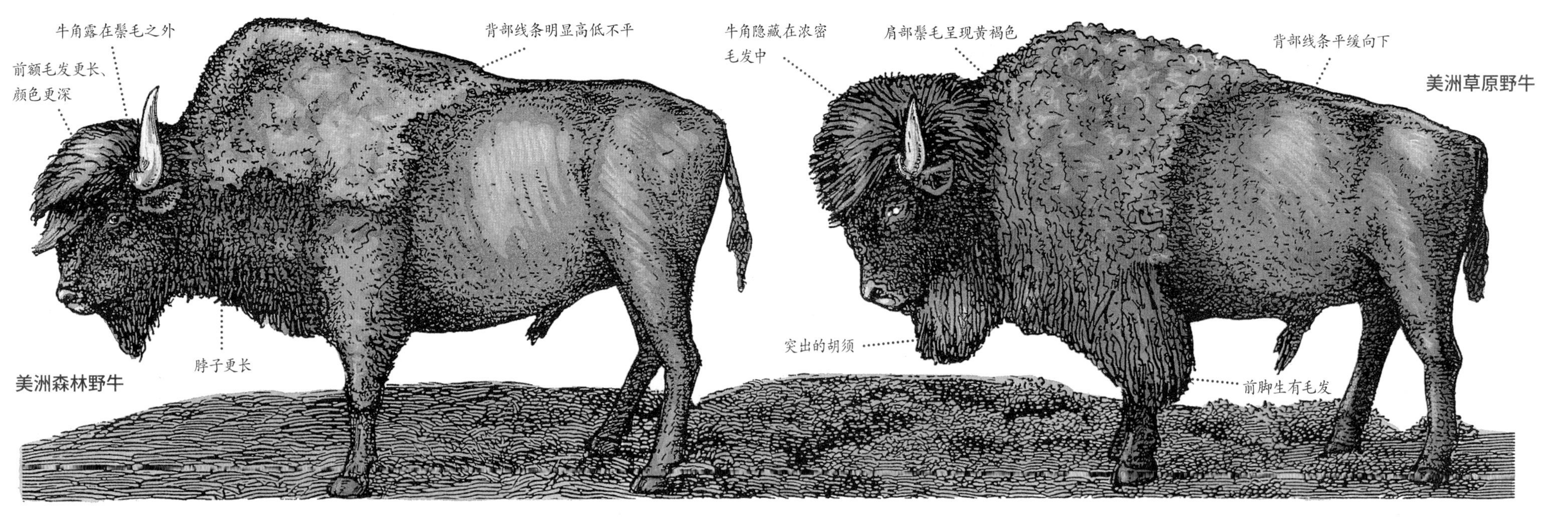

大象这种灰色的“巨兽”一直都让人们喜爱不已，直到今天围绕着它们还流传着许多传说。据说人迹罕至的西非沼泽地生活着一种矮象，它们正成为人们津津乐道的话题。有人猜测矮象不过是非洲森林象的一种当地品种。

大象的神话

大象很容易激发人类的想象力。我们冰河时代的祖先在岩洞洞壁画上猛犸象，这很可能是为了狩猎时的巫术占卜活动而作。早期出土的矮象骨骼说明了它们为何能成为人类神话的主角。

刺瞎波吕斐摩斯

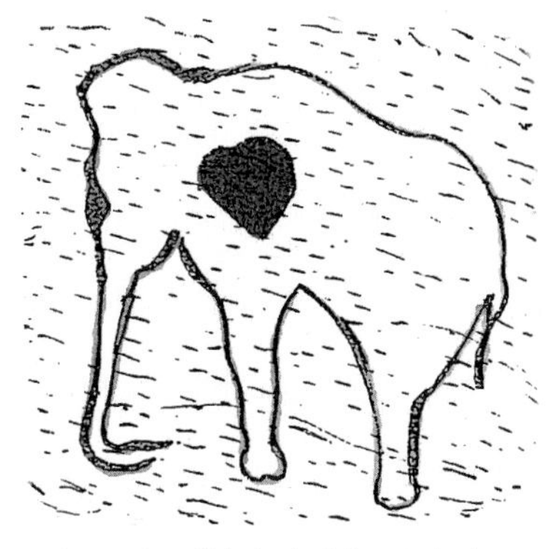

平达尔洞穴里带红色心脏的猛犸象壁画

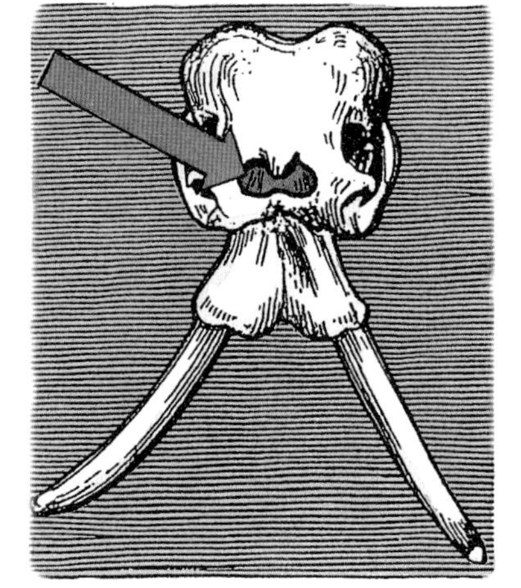

矮象的头骨

在大约20万到1万年前，地中海的几个岛屿上曾出现过矮象。它们马肩隆高仅90厘米，看上去肯定非常滑稽可爱。矮象头骨正中的洞被证实是鼻腔开口，起初这个部位还被误认为是眼眶所在。

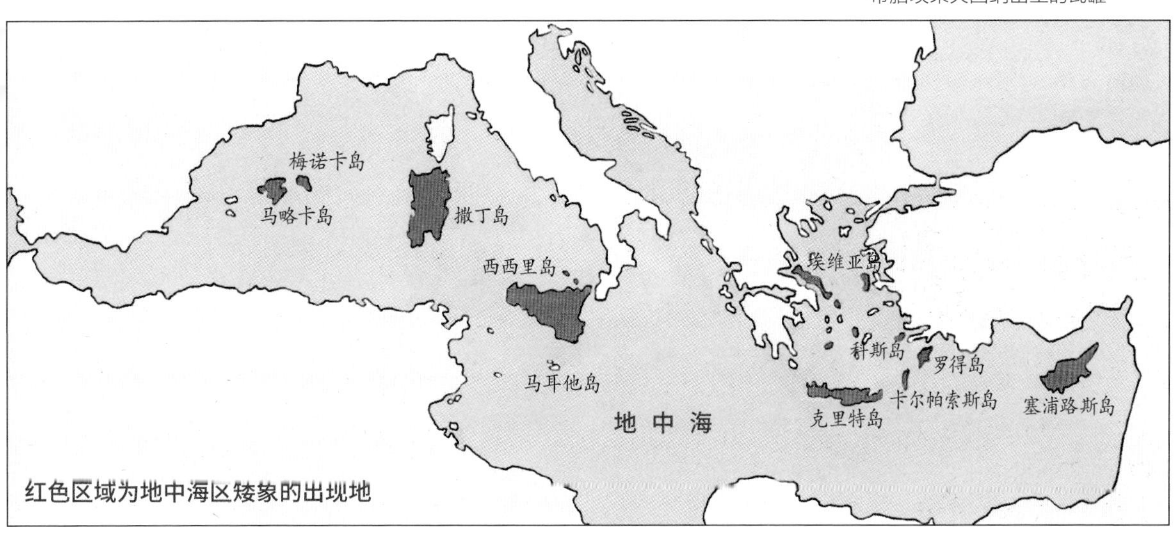

红色区域为地中海区矮象的出现地

于是出现奥德修斯迷航时遭遇独眼巨人波吕斐摩斯的传说。奥德修斯为了自救及营救同伴，用葡萄酒灌醉巨人并用烧红的木桩戳瞎了他的眼睛。许多古希腊花瓶上都描绘了这一英雄壮举。

希腊埃莱夫西纳出土的瓦罐

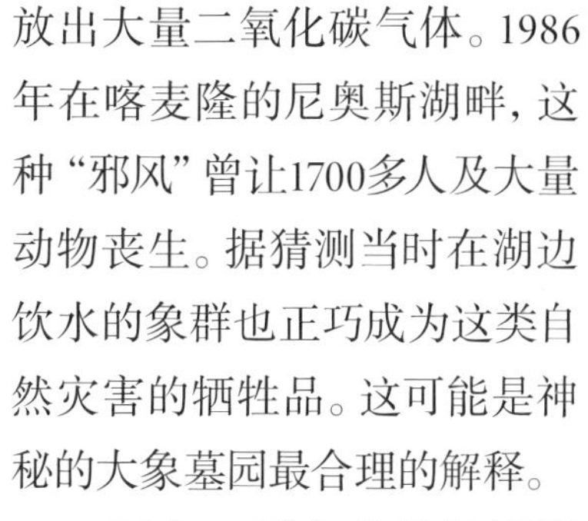

1663年构建的独角兽骨骼

1663年，人们在德国根据猛犸象的长牙和骨骼又构建出另一神话，那时人们相信自己找到了传说中独角兽的骨骼。同属于神话故事的还有大象墓园。因为有人在中非某处找到大量集中的大象尸骨，于是得出结论，认为大象垂老后都会躲藏到自己的墓地去等待死亡。其实，中非的火山相当活跃，火山周围的湖泊里也会释放出大量二氧化碳气体。1986年在喀麦隆的尼奥斯湖畔，这种“邪风”曾让1700多人及大量动物丧生。据猜测当时在湖边饮水的象群也正巧成为这类自然灾害的牺牲品。这可能是神秘的大象墓园最合理的解释。

还有一则大象的神话则完全来自于人们对象牙的奇思怪想。即便在现代专业文献里有时也会出现诸如象牙里含有软骨组织的描述。很显然，这位作者也是如实引述他人的观点，但我们早已通过组织学证据得知，大象长牙里根本没有一点软骨。

拥有某种动物的技能和力量是人类古老的愿望，因此许多原始部族里都出现过狩猎巫术和萨满文化的仪式。让我们想想石器时代的祖先们在洞穴石壁上留下的色彩斑斓的动物图案吧。甚至直到今天，人们还在幻想借助犀牛壮阳，这种迷信对动物来说完全是厄运。

犀牛和迷信

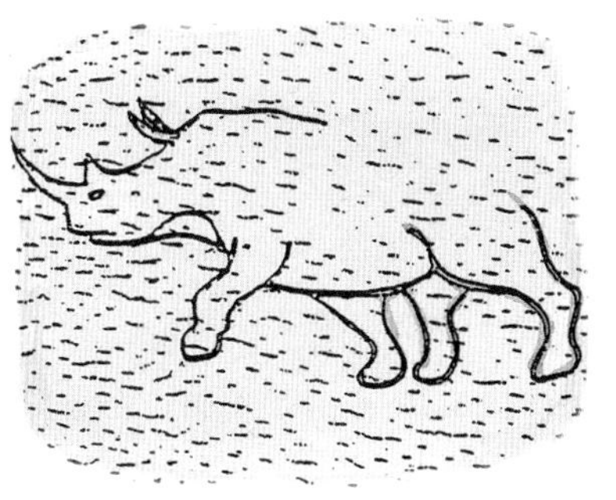

塔西利/撒哈拉的岩画，约公元前4500年

全世界范围内所有犀牛种类都在面临灭绝的风险。这不仅仅是因为该原始奇蹄目动物在演化史上的繁荣期早已一去不返，更是因为人类以一种残忍的方式加速了它们的灭绝。对犀牛生活环境的破坏是一方面原因，另一方面原因则是主要在亚洲盛行的迷信思想。有些国家民间偏方认为磨碎成粉末的犀牛角有壮阳功效，虽然科学界已经驳斥了这一观点，但时至今日，犀牛角粉末在黑市上还是价比黄金。

这类迷信思想源自犀牛的交配情形。在经过充分准备后，印度犀的交配时间持续约1小时，这期间公犀牛数次射精。在印度文化圈里，民间医学也认为犀牛能包治百病。犀牛的皮、骨头、毛发还有几乎所有内脏都被用作药材。据称研磨成粉末的犀牛蹄能治结核病，这当然也是无稽之谈。

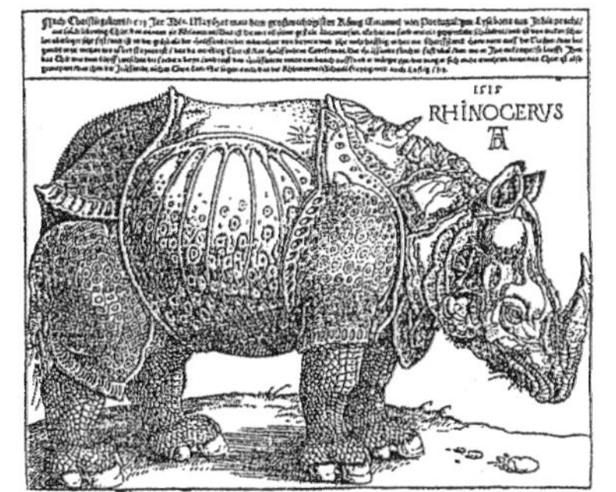

犀牛图，丢勒

所以犀牛一直都是人类争相追逐的猎物，石器时代撒哈拉地区的洞穴凿画也充分证明了这点。这一雄壮的生物看来是要毁灭在我们"现代人"的手中了。

公犀牛在交配期间骑在母犀牛身上长达1小时

犀牛粗壮的腿支撑着约2吨重的庞大身躯，脚掌上有三根垫有软垫、可以叉开的脚趾。远古犀牛的下肢骨骼上有5趾，正如人类手掌一样。而马类只用第三趾支撑着身体的重量，其余脚趾都慢慢退化了。

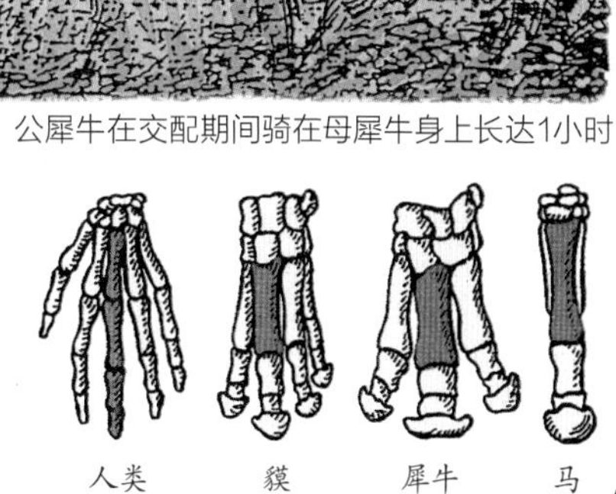

阿杰尔的塔西利/撒哈拉：带狗狩猎图
只通过两条腿来表现犀牛妈妈身后的小犀牛

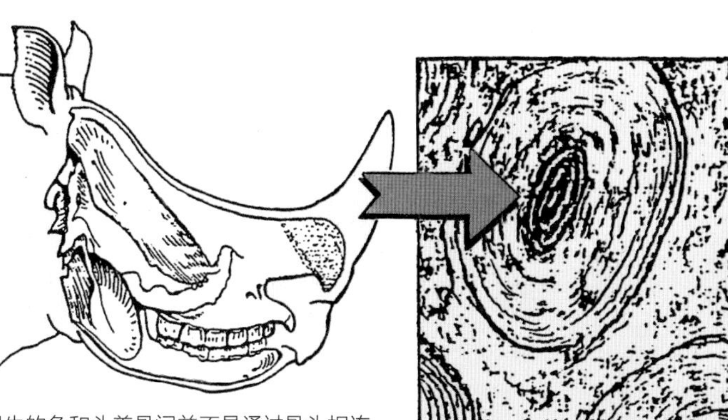
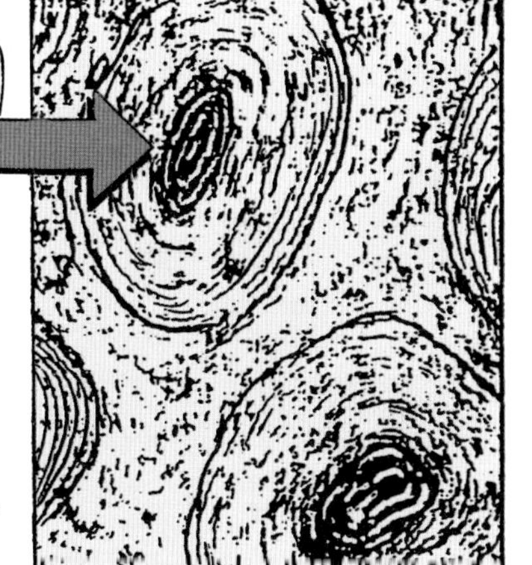

犀牛的角和头盖骨间并不是通过骨头相连，实际上角和我们的头发一样是由皮肤产生。犀牛角的放大横截面图显示出它和人类头发有着类似结构。

印度犀（亚洲）

爪哇犀（亚洲）

苏门答腊犀（亚洲）

白犀（非洲）

黑犀（非洲）

“人们只认识那些被驯化过的东西，”
狐狸说，
“如果你想和我做朋友，
来驯养我吧。”

圣埃克苏佩里（Antoine de Saint-Exupéry）

第六章

牛和羊一直都是我们的好伙伴吗？家畜养殖的历史

在我们的世界里，因为技术和消费的影响，关于动物的描述在过去20年中有了很大改变。家畜虽然从一万年前就在不同文明中和人类共生，但却因为我们对宠物的感情而被忽视。因此，我们有理由好好地认识一下家畜。

从野兽到家畜

正如从野生植物中培育出农作物一样，野生动物的驯化也对人类发展产生了显著影响。我们石器时代的祖先从当时的5000多种哺乳动物中选择并驯养了其中20余种。主要的家畜最早出现在大约公元前14 000年的欧亚大陆上，狗是其中最早的一种。农用牲畜的最早证据来自位于幼发拉底河与底格里斯河之间的两河流域，这里是家畜的摇篮。

大羊驼和羊驼（源自原驼）、豚鼠、火鸡以及番鸭都起源于美洲，非洲则是珍珠鸡和家猫的故乡。今天所饲养的家鸡的祖先都是生活在印度的红原鸡，鸭子的祖先是绿头鸭，而鹅则源自于灰雁。经过许多代的养殖以及根据饲养目的而进行的人为筛选，这些动物变得和野生祖先们截然不同。比如，不管是猎獾犬还是圣伯纳犬都由狼发展而来。家畜的大脑甚至可能比野生种类的小30%，感觉能力和其他野外生存所必需的技能（通过警告或逃跑避开敌人、防御、抚育幼崽和社会行为）也远远不如野生同类。不过，家养动物也获得其他特征，如成熟期较早、高出生率以及外观与皮毛颜色的多样性。

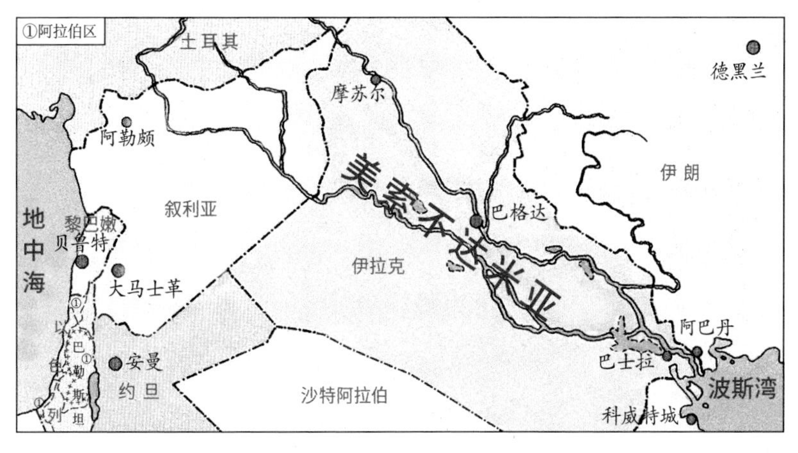

——— 1947年11月联合国安理会决议所规定的“犹太国”（以色列）疆域

++++ 1949年巴勒斯坦地区以色列和阿拉伯国家的停战界限

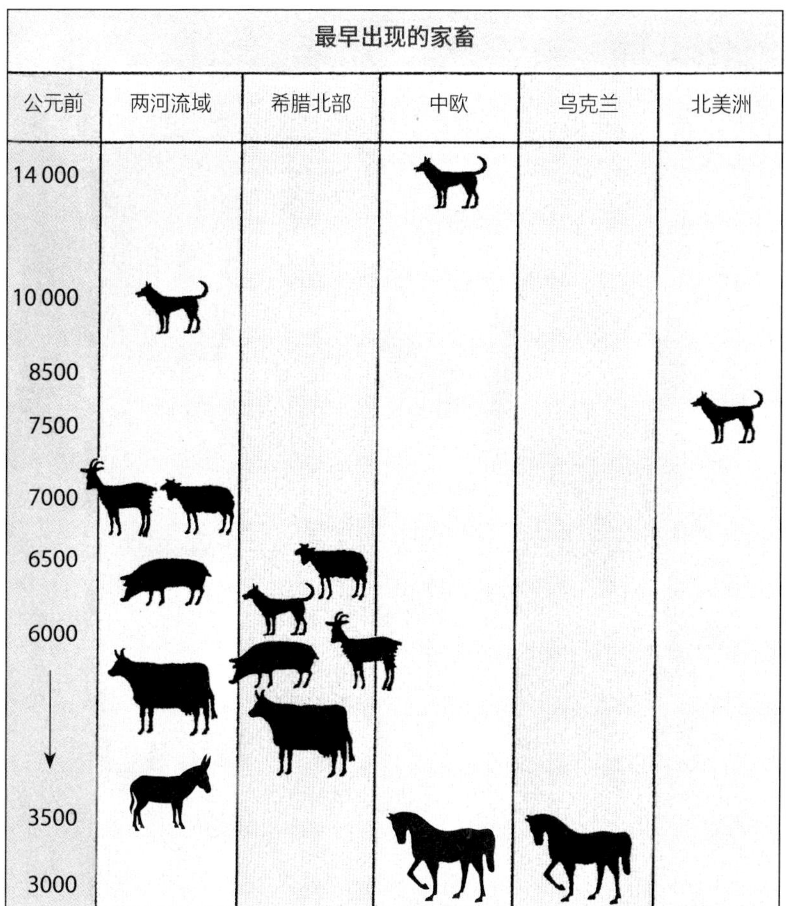

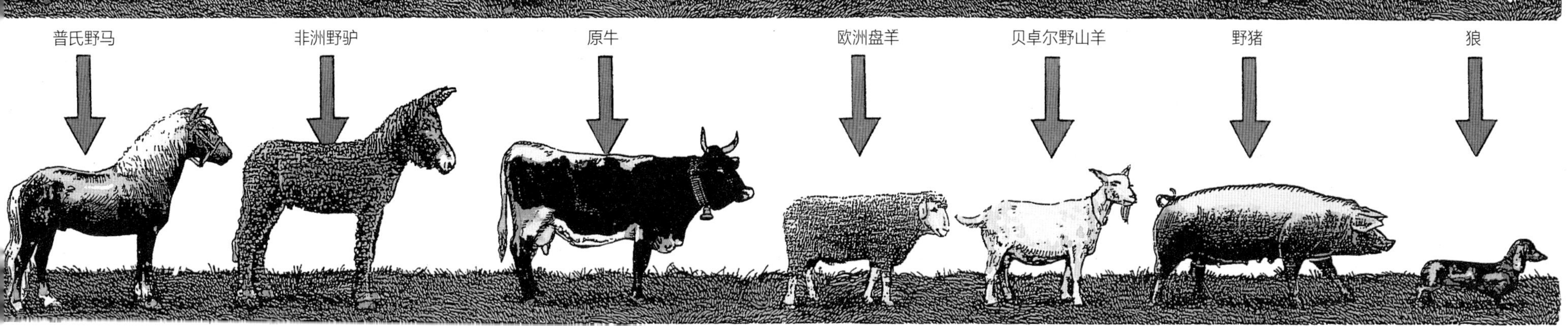

因为骡子温顺，它们在山区被作为最优秀的驮兽，还因为其韧性和耐力，过去甚至被用于煤矿工作。

骡子
是马还是驴？

要说骡子得先从驴讲起。驴作为家畜的历史比马还要悠久。最早的记录可上溯至公元前3100年美索不达米亚平原上的城市乌鲁克（阿拉伯人把当年这座城市所在的遗址称为Warka）。经过选育，灰色野驴有了黑色、白色和带斑点的后代。家驴的体型大小也各不相同，既有小巧可爱的斯里兰卡矮驴，也有和马身材相仿的法国普瓦图大驴。

非洲野驴

也许在地中海沿岸的家驴尤其能吃苦耐劳，它们在打谷场、水磨坊辛勤劳作，也是人们骑乘、运输的好帮手。在中世纪，驴子被引入北欧，但阿尔卑斯山以北地区并不是真正适合它们的家园。可直到今天，爱尔兰仍在饲养驴子。

在农业进入机械化时代之前，家驴的经济意义还体现在骡子的培育上。公驴和母马交配所生的后代叫作马骡，而母驴和公马的后代叫作驴骡。因为驴和马的染色体数目不同，只有极少骡子拥有生育能力。因骡子强壮、耐劳且性情平和，人们很喜欢使用它们来工作和骑乘。出产于普瓦图地区的骡子因其体型大且外表美观而著称。

普瓦图冷血马（母马）　普瓦图大驴（公驴）

爱尔兰家驴

普瓦图马骡

羊肉是人类一项重要的肉食来源。在人造纤维大行其道的今天，羊毛仍不可忽略，绵羊油（lanolin）也是一种对皮肤极亲和、无害的药膏基质。

绵羊也是有祖先的！

正如狼是所有犬种的祖先一样，盘羊是今天所有绵羊的野生祖先。最早关于绵羊的记载出现于公元前7500年，幼发拉底河与底格里斯河之间著名的“新月沃地”。绵羊作为家畜的历史和山羊一样久远。因为绵羊有多方面的利用价值，这种易于养殖的家畜在全世界的数量和牛接近，其存栏数大约12亿头。羊皮、羊肉、羊毛和羊奶都可供人们取用，甚至羊小肠的肌肉膜还能制成每个孩子都喜欢的维也纳小香肠的肠衣。

肥尾绵羊拖着放尾巴的小车

对多种气候条件的完美适应造就出许多不同的绵羊品种。最新研究成果表明，欧洲盘羊源于已被当地人驯化的亚洲野绵羊。它们在大约7000年前于科西嘉岛和撒丁岛地区重新野化。

欧洲盘羊

为什么直到今天人们还常常在马棚里看到作为吉祥物的山羊？按以往迷信的说法，人们认为山羊可以带走马的疾病，不过现代兽医学并没有证实这个观点。

从不挑食的山羊君

贝卓尔野山羊的名字来自其瘤胃中由未经消化的植物纤维和绒毛形成的小球。地中海地区的民间医学曾迷信贝卓尔（阿拉伯语和波斯语：抗毒的）是一种抗病和解毒的万应良药。

但野山羊的价值不在于此，而在于它是家山羊的祖先。现在已经有大约200个家山羊品种，全世界总存栏数也达4亿6千万头，并主要分布于较干旱地区。人们通过变异、选择、有目的的杂交和育种获得不同品种的山羊。它们的产肉量、出奶率还有羊毛颜色和质量都各不相同。比如细软的马海毛和羊绒便出在土耳其安哥拉羊身上，安哥拉羊的名字源于它起源的安卡拉省。只有麝牛的内层绒毛——它在因纽特语中被称为奎维特，还有骆马毛在质量上能和羊毛相比。山羊因为易于饲养繁殖而被称为“穷人的牛”，至今仍然是很多人的主要蛋白质来源。与牛和绵羊不同，山羊几乎毫不挑食，它们起劲地啃食各种植物。正因如此，数百年来的过度放牧导致了不少地区的荒漠化，比如地中海沿岸国家就是显著例证。

花斑荷兰山羊

图林根山羊

花斑德国无角羊

珍色高山山羊

孔雀山羊

瓦莱黑颈山羊

吐根堡山羊

波尔山羊

格劳宾登山羊

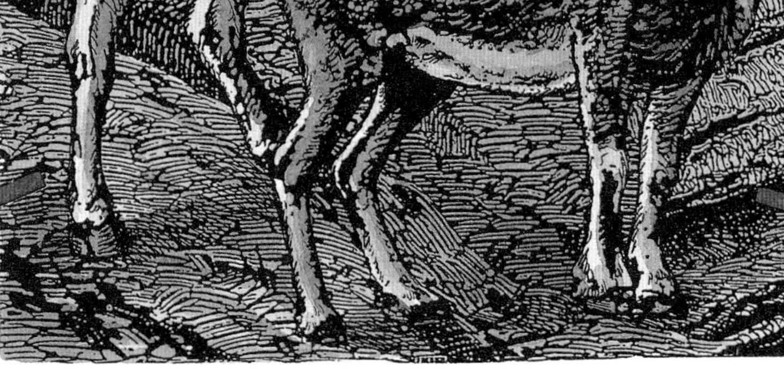
贝卓尔野山羊

西非矮种羊

所有家山羊品种都源于贝卓尔野山羊，它们今天都还出没于希腊、克里特及附近小岛上。亚洲的捻角山羊并非家山羊的祖先，因为捻角山羊的左羊角逆时针旋转，和家山羊的羊角旋转方向相反。

山羊君不要再吃啦！

山羊既嘴馋又不挑食。它们以440余种植物为食，甚至连有毒植物，如毒参和大戟也是它们的佳肴。在必要的时候，山羊甚至还能啃食报纸。山羊拥有卓越的登高和跳跃能力，喜欢在灌木丛中觅食，甚至能爬到10米高的树上。因为它们总是啃食最幼嫩的枝条，被啃光的树林将无法再生。养殖过多山羊必然带来生态灾难。地中海沿岸、非洲和小亚细亚地区大片土地的荒漠化就得归咎于山羊的过度放牧。在许多地方，包括山羊的故乡——幼发拉底河和底格里斯河之间的“新月沃地”，山羊的啃食也是土地侵蚀破坏的罪因。

在德国山羊没有被大量养殖，倒不是因为它们身上众所周知的“羊膻味”。在植物稀少的半荒漠半干旱地带不适宜饲养牛和绵羊，山羊会成为这里最重要的家畜。山羊的啃食加剧了这些地区的荒漠化进程。

安哥拉山羊 布雷姆绘

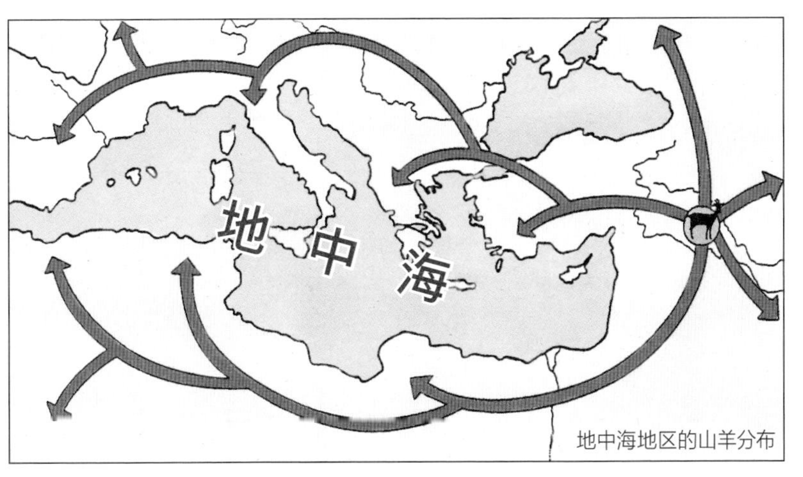

地中海地区的山羊分布

摩洛哥山羊正在啃食“阿甘树”（即坚果树）

相对于其他家畜的驯养过程，强壮的原牛被培育成不同牛种的过程开始得较迟。直到19世纪后期化肥发明之前，牛的粪便还是贫瘠的轮作农田里重要的肥料来源。

原牛

奥格斯堡图册中的原牛

据载最后一只原牛在1627年就已死去，但我们还是可以通过所发现的骨骼和当时留下的图片来描述原牛的英姿。和其他带角的反刍动物一样，不同性别的原牛之间也有颜色差异。公牛体色为黑色或深棕色，并带有浅黄色的背脊线。母牛则为红棕色到灰色。它们的口鼻部为浅色所环绕，强有力并向前弯曲的淡黄色牛角还带着黑色角尖。前额两角间装饰着许多绒毛状的额发。从当时留下的奥格斯堡图册上还能看到，原牛的公牛有深陷的胸腔，向上收缩的肋部，优雅的四蹄，以及有力但不过分粗壮的上腿肌肉。今天的西班牙斗牛还保持着这种优雅体态。

如今家牛的匣子式身躯显得如此愚钝和笨拙，杂交让它们的双角显著变短。雌雄家牛的颜色也基本一致，家牛因其不同用途而被培育出各种不同体色，有的甚至还带上斑点。奶牛硕大的乳头引人注意，但在原牛身上却难以见到。

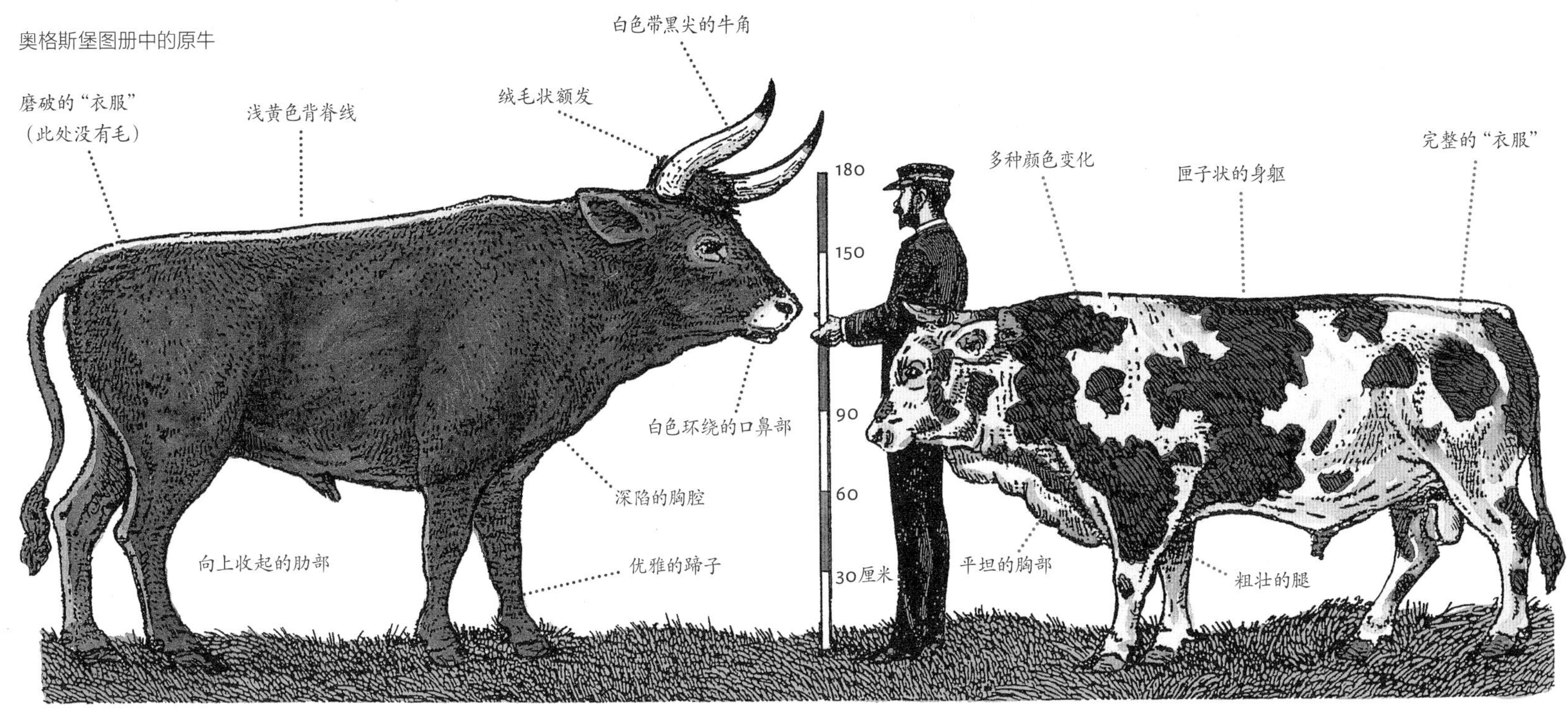

原牛：公牛　　家牛：公牛

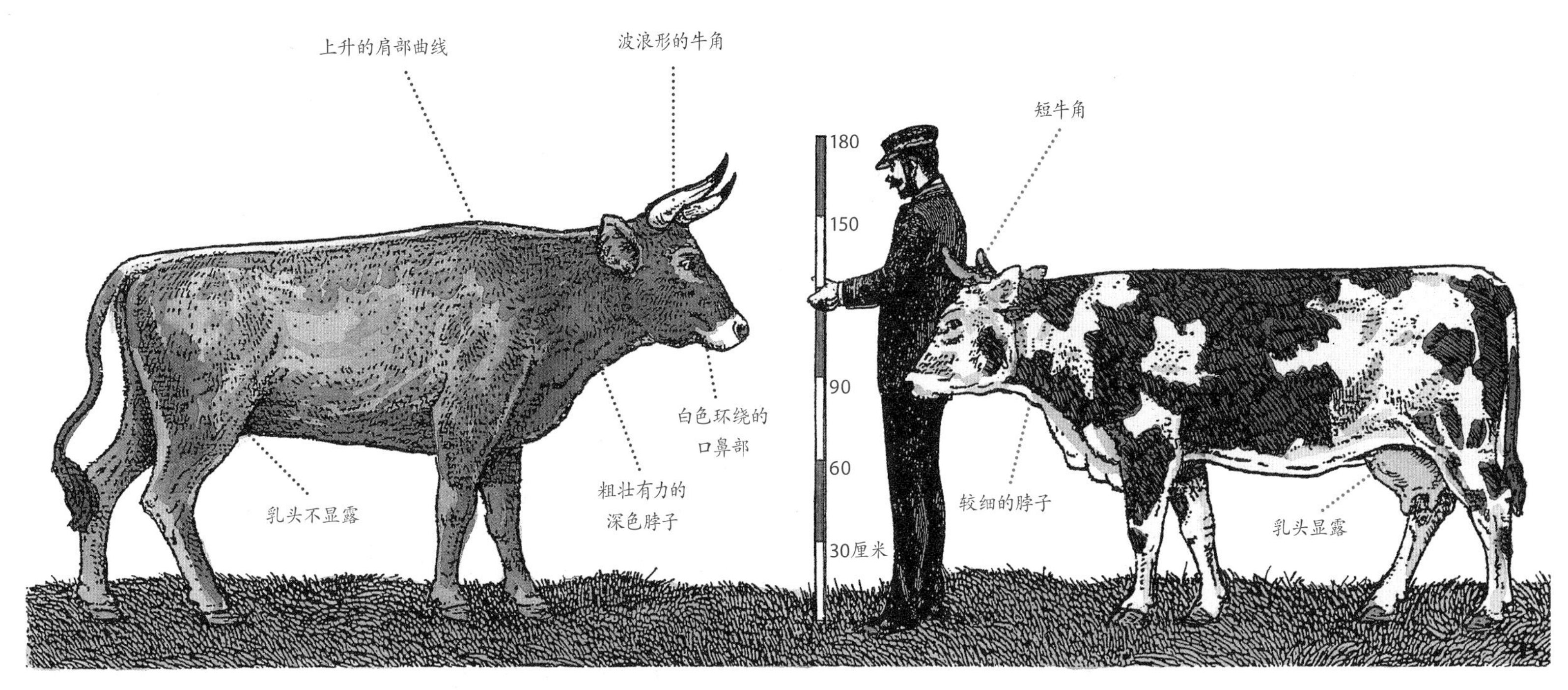

原牛：母牛　　家牛：母牛

和现存的所谓“欧洲野马”不同，普氏野马才是真正的野马，而欧洲野马其实是家马和普氏野马的杂交后代。早在石器时代，我们的祖先们就把野马的颜色和体型特征画在阿尔塔米拉和拉斯科山洞的石壁和天顶上，以获取“狩猎巫术”。

世界上还有野马吗？

很可惜，几乎没有了。外形像普氏野马的原始野马是家马的祖先。所有品种的马，不管是身躯沉重的冷血马，还是神经敏感的阿拉伯马，都和普氏野马有明显区别。斑马式的立鬃是野马区别于家马的特征，它连接着一直延伸到尾巴的黑色背脊线。

野马可能和野驴一样，有着肩线和背线的交叉。在冬季，它们会长出明显的腮须和颚须。深色的鬃毛轻轻勾勒出前额卷发，两侧则由色彩较为明亮的鬃毛形成所谓"鬃荚"。尾巴上部三分之一区域生有短短的刷状毛，这之后才长着普通马尾巴式的长毛。它们短且骨节突出的四条腿支撑着粗壮丰满的躯干。长长的、呈匣子形状的头则通过强壮宽阔的脖子连在扁平的胸脯上。臀部明显显得瘦削而且平坦。

它们双眼眼距较狭窄，但也并非完全向前。从侧面看上去，鼻梁高高凸起成为所谓的"夯状鼻梁"。而鼻尖则被明亮的白色占据，人们称之为"面粉鼻"。在不同的季节，身体毛皮的基本色在灰黄和红棕之间转变，而腹部则是白色，被称为"燕尾服腹部"。在腿部膝盖高度的区域，野马还有如斑马一样的细细条纹，趾部呈现深色。

这种色泽明艳的野马由俄国科学家普热瓦尔斯基(N.M.Przewalski)于1879年在蒙古地区发现，为纪念这位科学家它被命名为普氏野马(也叫蒙古野马)。所有生活在动物园里的普氏野马的家系都得上溯到20世纪初期、由卡尔·哈根贝克(Carl Hagenbeck)引进的野马。到了今天，人们已经不能确定野外是否还有普氏野马幸存。因此，将动物园养殖的野马放养于野外并重建种群具有特别的意义。在1988年和1995年，海拉布伦动物园向中国人民赠送了14匹普氏野马，并放养于自然保护区中。

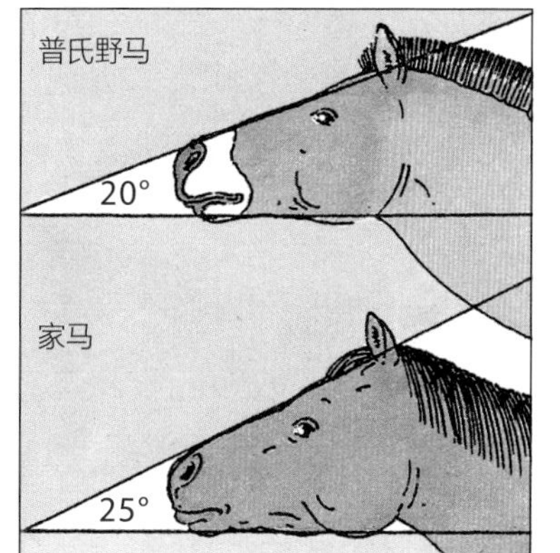

头部角度图释

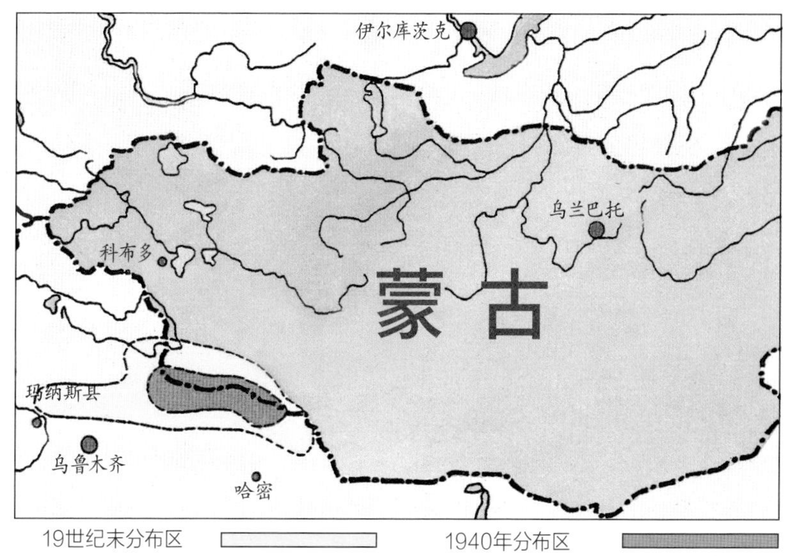

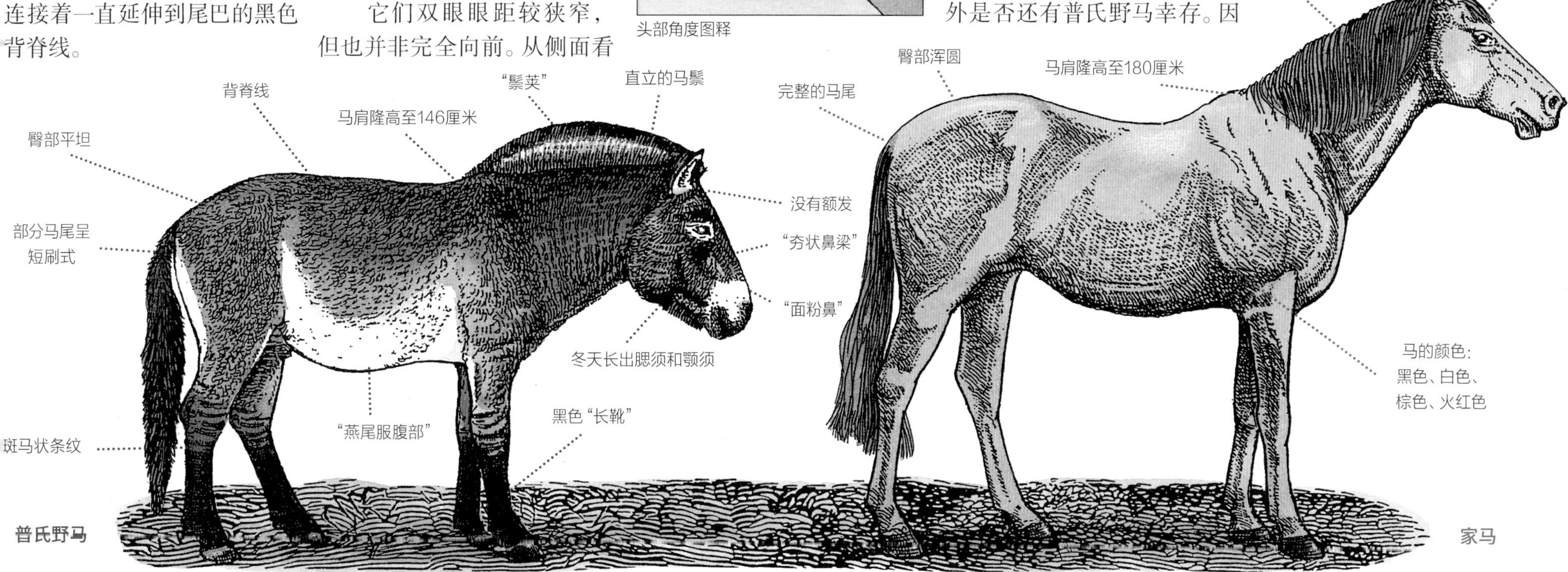

当西班牙征服者发现美洲大陆时，印第安人把他们当作外来的神，因为印第安人还从来没见过骑士。马在史前时期就已经在美洲灭绝，那时人类还没有来到这块大陆。所有的美洲野马都是从家马野化而来。

马之小史

远在“玉木冰期”，即大约公元前五万年至公元前八千年时，类似普氏野马的原始野马群还分布在整个欧洲。根据它们的适应能力，不同的野马亚种生活在冻原、草原和森林里，我们把普氏野马归入草原亚种。而另一个于1876年灭绝的亚种——欧洲野马，则生活在森林和草原上。

普氏野马

原始野马和猛犸象、大角鹿、洞狮、麝牛、披毛犀等分享着同样的生存空间。

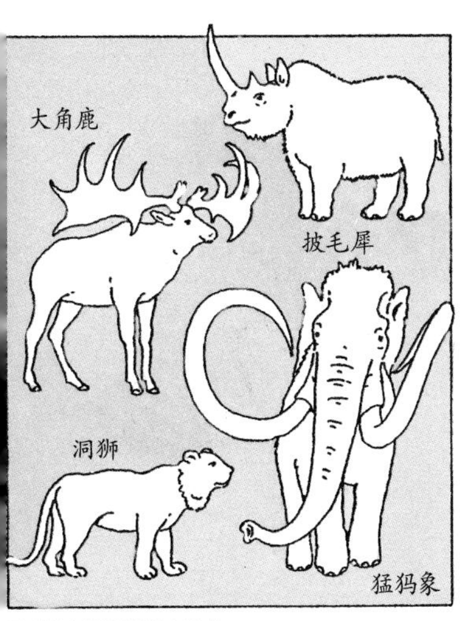

欧洲冰川时期的动物

象牙制作的野马工艺品，发现于乌尔姆附近的福格海德洞穴，约公元前30 000年

克诺索斯的印章上，两匹拉车的公马，来自克里特岛，约公元前1300年

希腊花瓶上的驾车者和站在战车上的士兵，约公元前700年

艺术性极强的象牙雕刻，美轮美奂的岩洞壁画，还有堆积了大约10万匹马的残骨的法国梭鲁特岩坑都在证明，野马在冰河时期人类的食物中占有重要的位置。

据推测，直到公元前3000年，马才在欧洲和亚洲的不同地方同时被驯化。人们相信欧洲野马为家马的产生做出了主要贡献。在青铜时代，即大约公元前2000年前，马为当时的军事技术带来革命性进步，马拉战车在整个西方无往不胜。

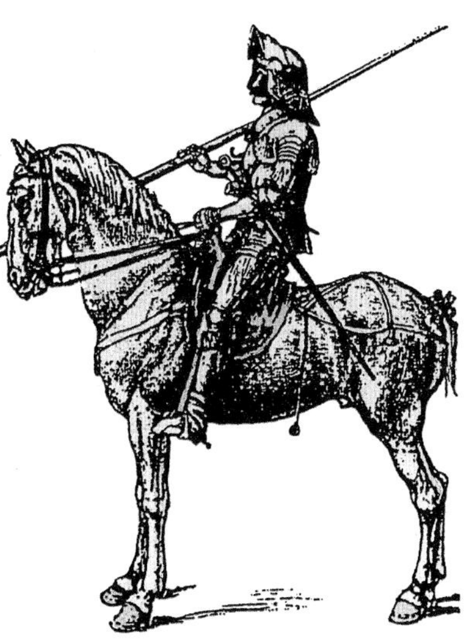
丢勒的水彩画《骑士》，1498

从那时开始，就没有任何其他动物能像马一样和战争如此密切相连。高大的冷血马是今天驮马的祖先，它们从中世纪开始出现，为披挂重甲的骑士骑乘而培育出来。再后来，体形较小的蒙古马用铁蹄震惊了欧洲。

于是马成为人类生活必不可少的伴侣，在日耳曼它被认为是神圣的动物，并且在文化中受到特别尊崇。在过去几个世纪中，对马匹的和平利用并未得到重视。今天还备受争议的“军事障碍赛马”便能让人回忆起当年严格的军马选择。

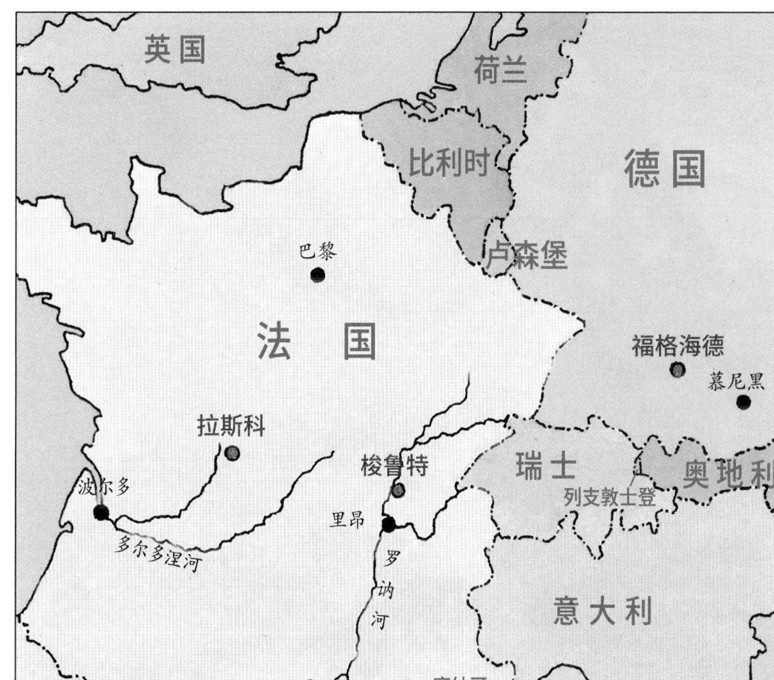

著名的冰河时期文明的发现地

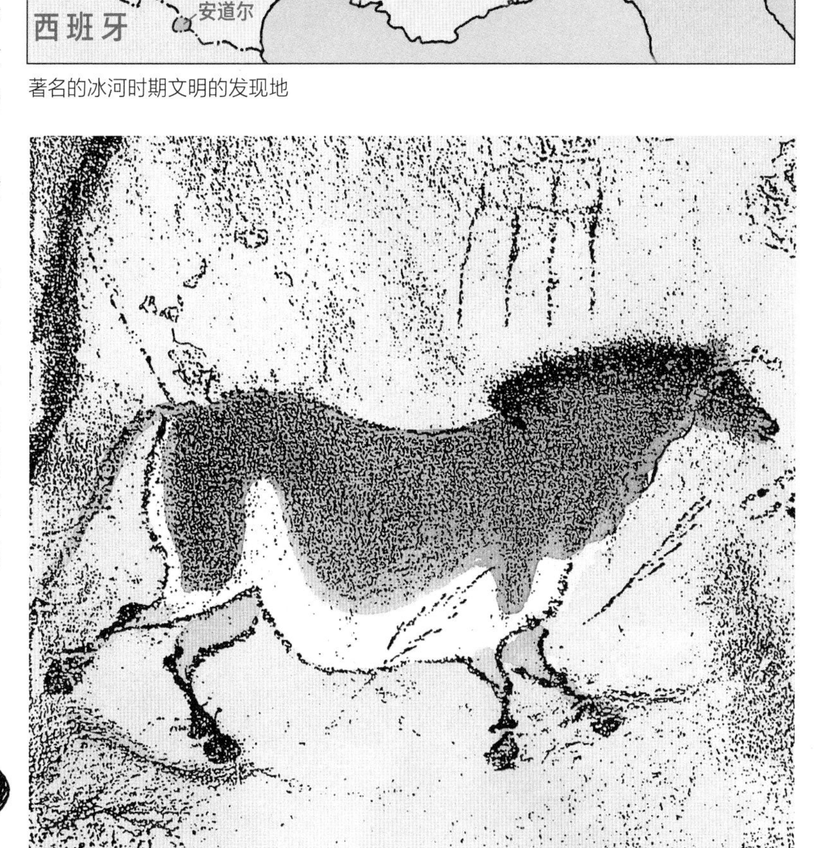
法国拉斯科洞窟壁画上的“中国马”，约公元前15 000年

当人们仔细观察动物，
总会有种奇妙感觉，
仿佛那里也有个家伙，
正对自己评头论足。

埃利亚斯·卡内蒂（Elias Canetti）

第七章

人为什么是不同的？
对演化的思考

人为什么是不同的？

如果我们想知道，为什么人类和大型类人猿如此相似，却又全然不同，那我们首先必须弄清楚，人类到底从何而来。

记得我在罗马尼亚的城市普洛耶什蒂，曾注意到葡萄园边一棵弯曲多节的老李子树。在刚成熟的李子间伸出一根结满青涩欧楂的大枝条，这令我大吃一惊。我们对聪明的园丁多年前进行的成功嫁接佩服不已。当然，前提在于这两种果树同属蔷薇科。

对我们开头提到的问题，欧楂李子树给出了既自然又直观的参考：同属灵长目大家庭是我们和大型类人猿的共同点，就像是树根树干。我们可谓“本是同根生”。只是到了树冠，当粗壮的枝丫分成更细、结果实的枝条时，上面的果实才有所不同。

要是哪天人类自己一手培植的“欧楂李子树”不结果了，我们可以将它砍掉；而由演化培植的“灵长目树干”总在不停发展。它继续下去到底会结出什么果实将不为我们所知。但有一点很肯定，这棵树上某些曾有过的果实早已凋落。如果仅仅从生物演化的角度，且不含价值判断地说，类人猿和人类都只是生活在同一根主干上的阶段性果实而已。

在以下的文章中，我们将对人类为什么与众不同的问题做出解答。当我们对自身追根溯源时，我们不得不为演化所拥有的强大自然力以及蔚为壮观的生命之树所折服，同时也应该对那些和我们一样的自然造化产物给予更多谦让、尊敬和照顾。种下一粒“谦卑的种子”无伤大雅。

我们从何而来？

不论植物还是动物，地球上所有的生命都源自海洋。我们将生命连续发展的历史称为演化。时间自然是其中一个至关重要的因素。生命从最简单的形式比如细菌和藻类演化到千差万别的哺乳动物，乃至人类，所经历的时间难以想象，需要用百万年作为单位。在激烈的生存竞争中，不断变化的自然条件和遗传信息的改变，即所

谓的突变，引发物种间长期的艰难筛选，即自然选择。

我们眼前所有生物都只是演化过程中的过客。在时间长河中，自然选择和基因突变使旧的物种消亡，新的物种诞生。

赫拉克利特说过：

一切皆流，无物常驻。

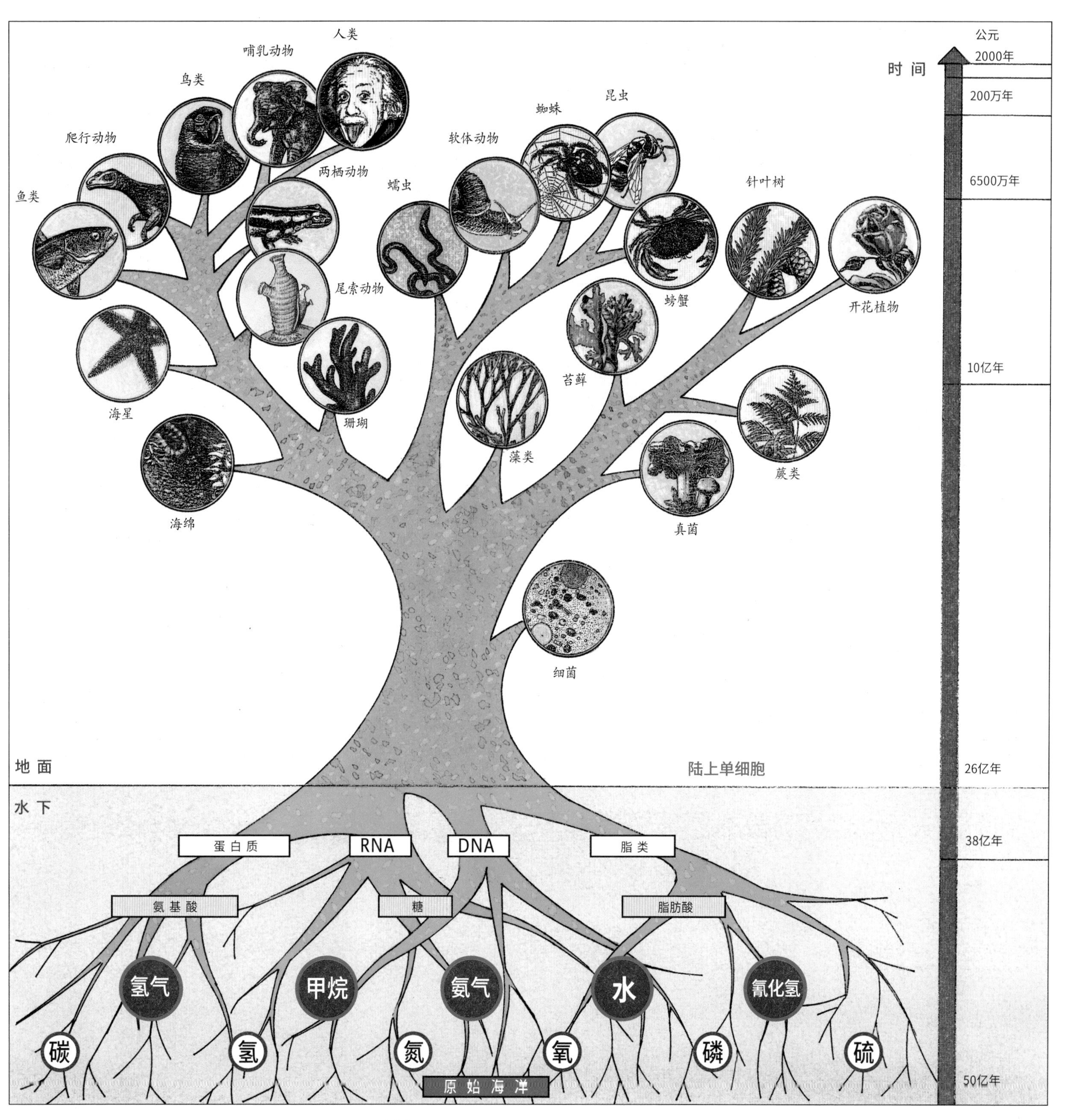

人是猴子变的吗？

人类是从猴子演化来的这种说法其实并不精确。更正确的说法是，类人猿和人类拥有共同祖先。他们生活在距今大约1500万到400万年前的新近纪。但对此还缺乏骨骼化石证据。

考古学家们总希望在发掘坑中得到新发现，以完成我们演化树上的“骨骼拼图”。

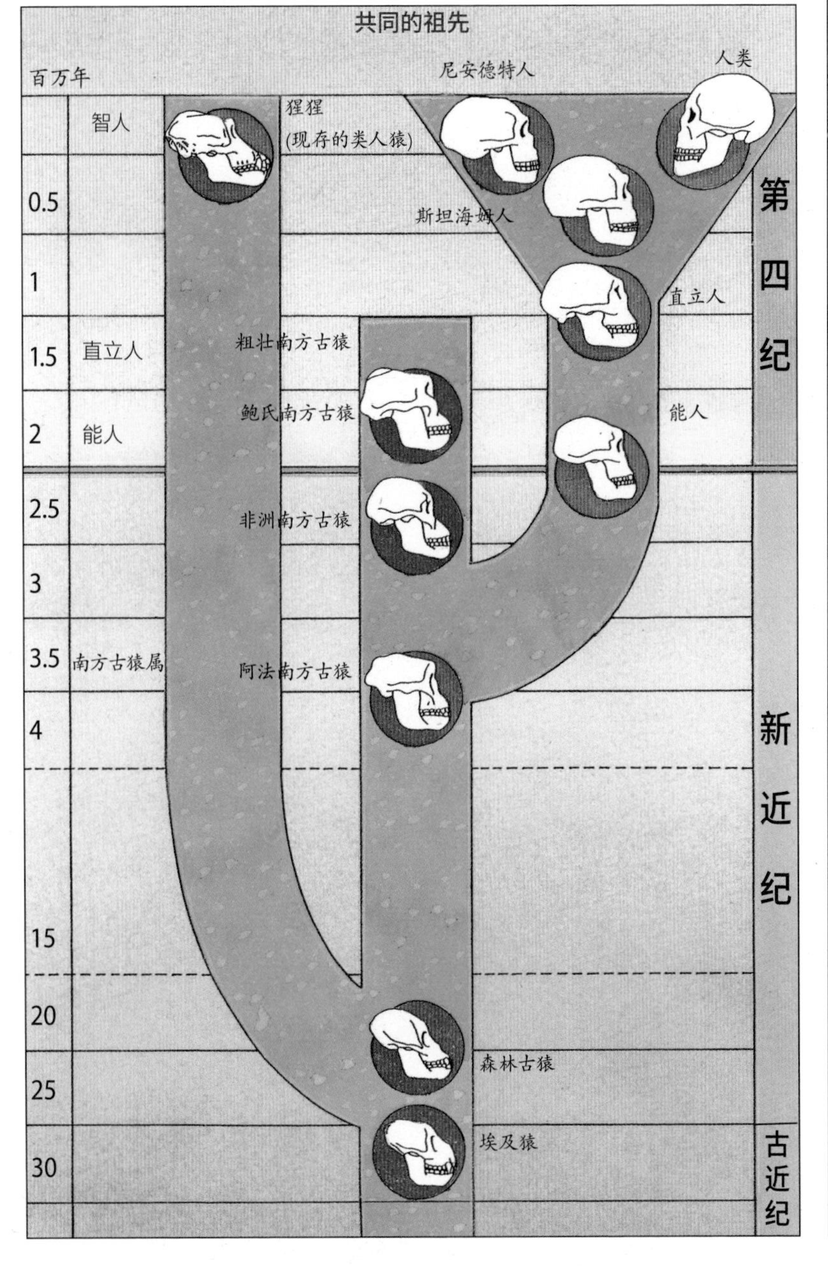

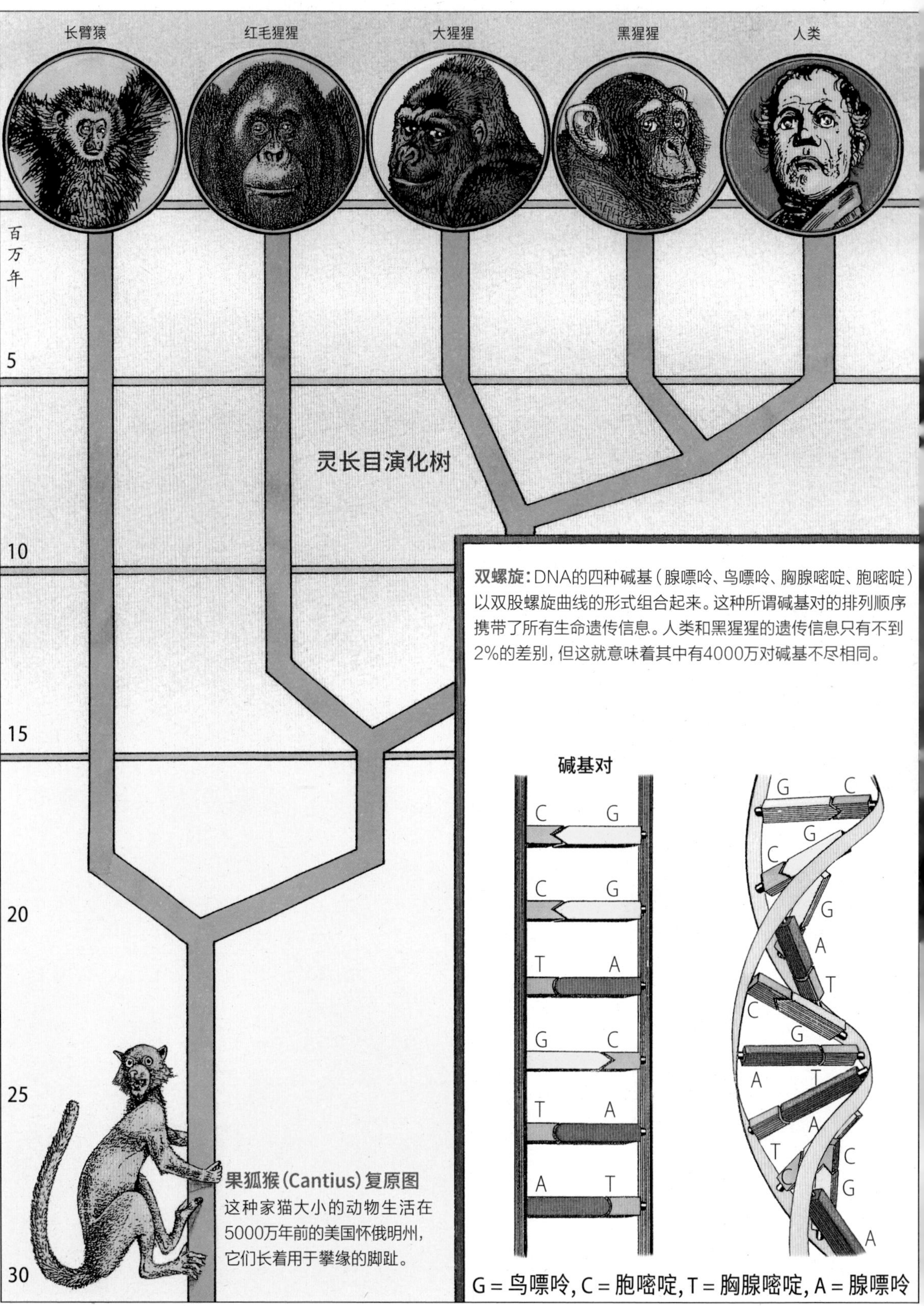

果狐猴（Cantius）复原图 这种家猫大小的动物生活在5000万年前的美国怀俄明州，它们长着用于攀缘的脚趾。

双螺旋：DNA的四种碱基（腺嘌呤、鸟嘌呤、胸腺嘧啶、胞嘧啶）以双股螺旋曲线的形式组合起来。这种所谓碱基对的排列顺序携带了所有生命遗传信息。人类和黑猩猩的遗传信息只有不到2%的差别，但这就意味着其中有4000万对碱基不尽相同。

直立行走的我们

所有类人猿，无论爬树还是行走时，大部分情况下身体轴线都呈水平方向，而直立行走的人类则与众不同。人类的祖先，370万年前到100万年前的南方古猿基本上就能直立行走了。大约200万年以来，我们的先辈（能人、直立人、智人）和现代人的行走方式已经相当接近。

因为手不需要用于行走，便可能为它开发出新的、丰富多样的功能：持握及采集食物和材料，最主要还是制造工具。手指技能将人类变成真正的“多面手”。正如康拉德·洛伦兹的绝妙描述，人类是“没有特定专长的专业技能者”，因此在演化史上和其他动物相比占尽优势。

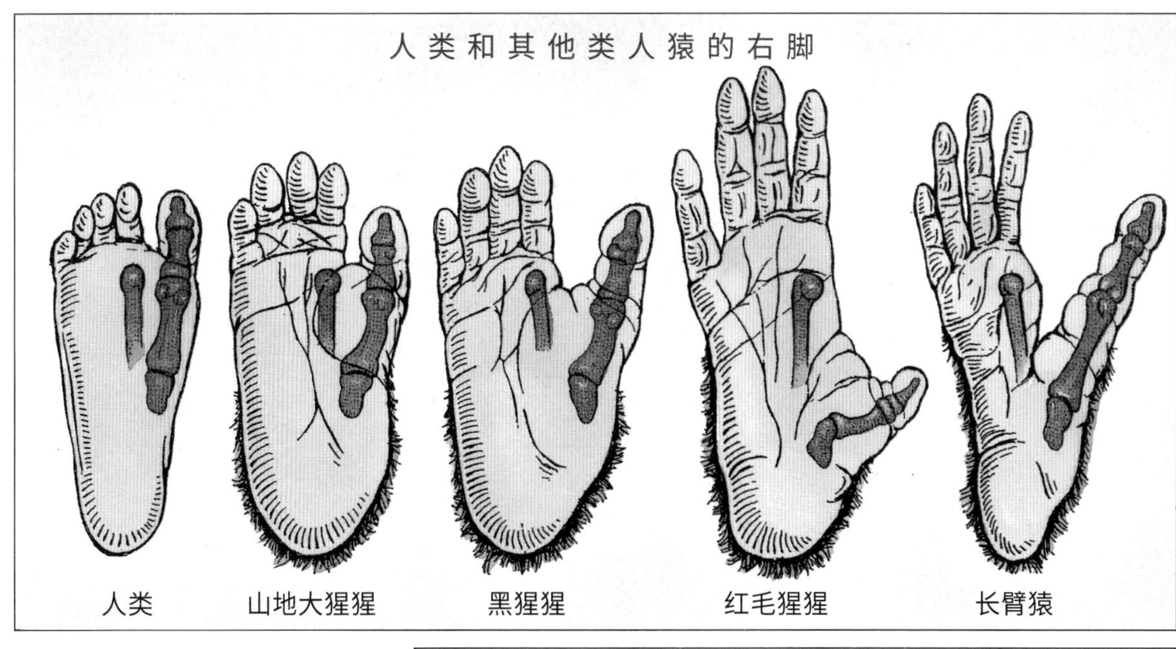

黑猩猩的行进方式

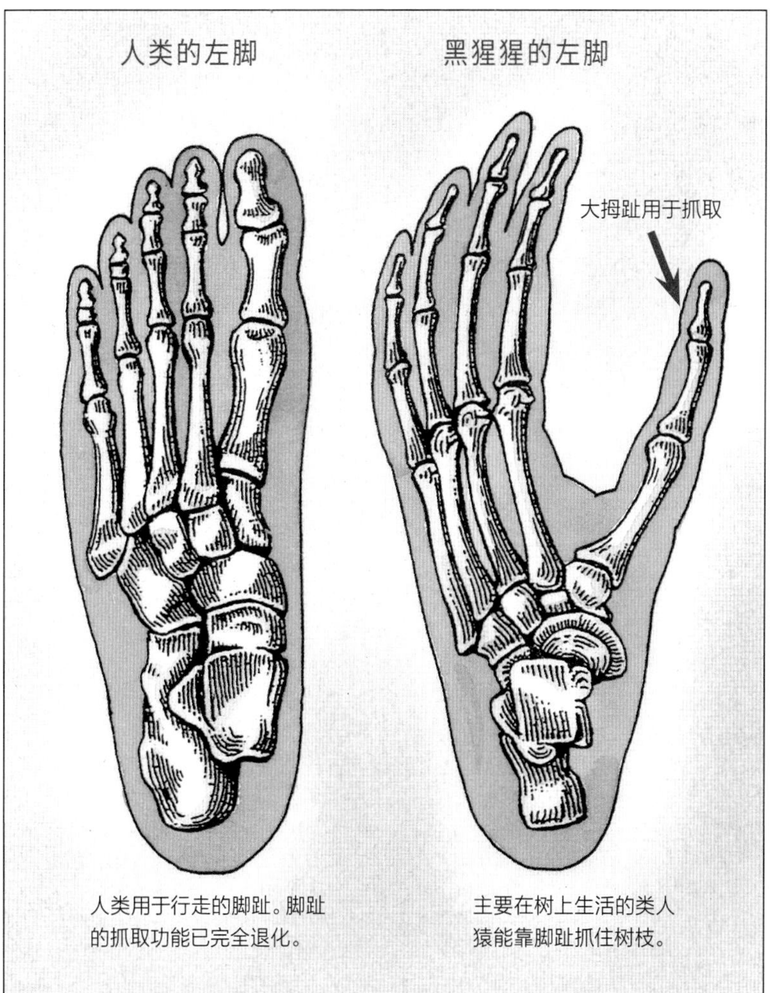

人类用于行走的脚趾。脚趾的抓取功能已完全退化。

主要在树上生活的类人猿能靠脚趾抓住树枝。

灵巧的手

类人猿强壮的手臂在悬挂时能承受整个体重，因此手臂力量的锻炼主要沿手臂伸展的方向，手只能从事相对简单的操作。随着大脑和脊椎的共同演化，我们祖先（智人）的手也逐渐与更多神经相连，所谓“指尖触感”和手指的精细运动能力便由此形成。

这种“新型”人类手掌可以将力量用在其他很多方面，我们的先祖在大约10万年前就拥有了和我们完全一样的手掌。但直到约4万年前，他们才学会用手制造非常精巧的工具，从而宣告了技术的开端。这对人类的生活，对自然，乃至对今天的时代都有决定性的影响。

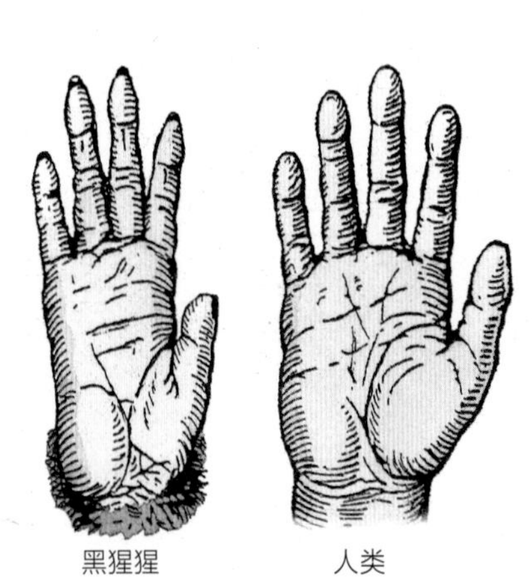

黑猩猩　　人类

黑猩猩的工具：伸入白蚁穴的木棍

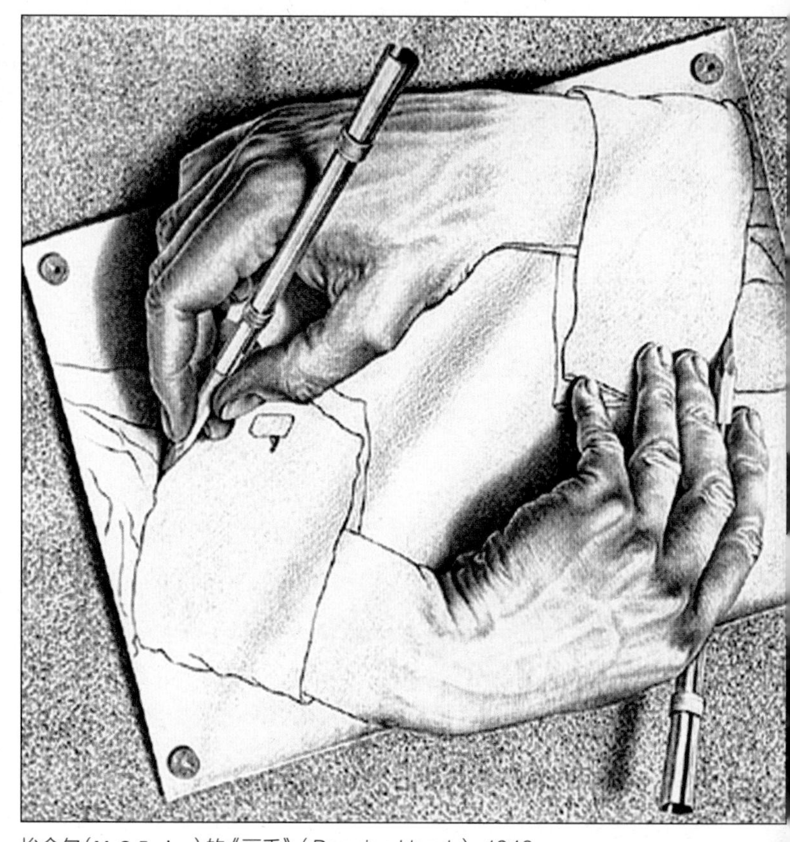

埃舍尔（M. C. Escher）的《画手》（*Drawing Hands*），1948

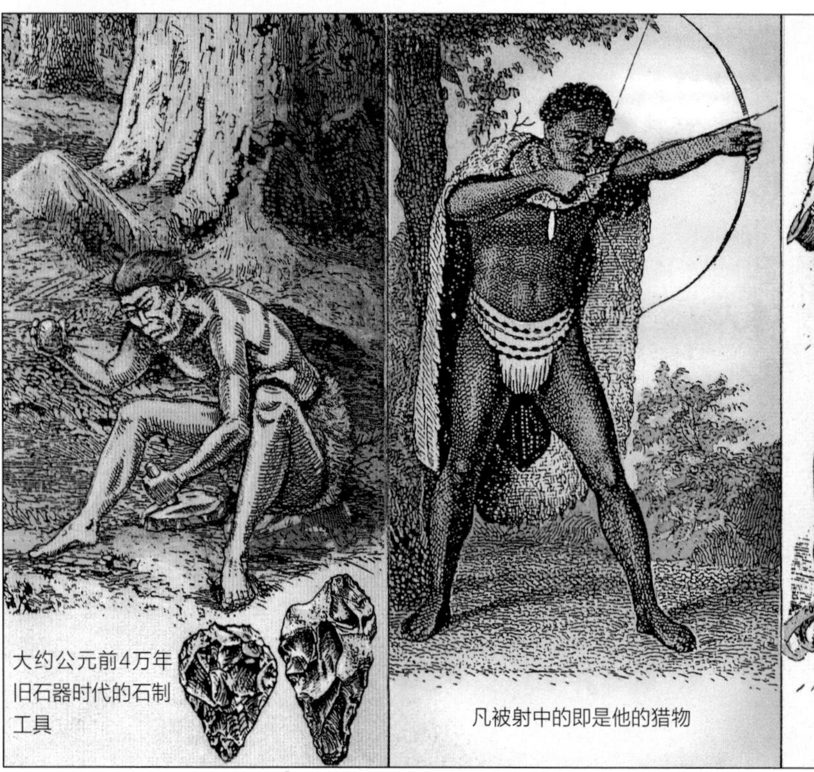

大约公元前4万年旧石器时代的石制工具

凡被射中的即是他的猎物

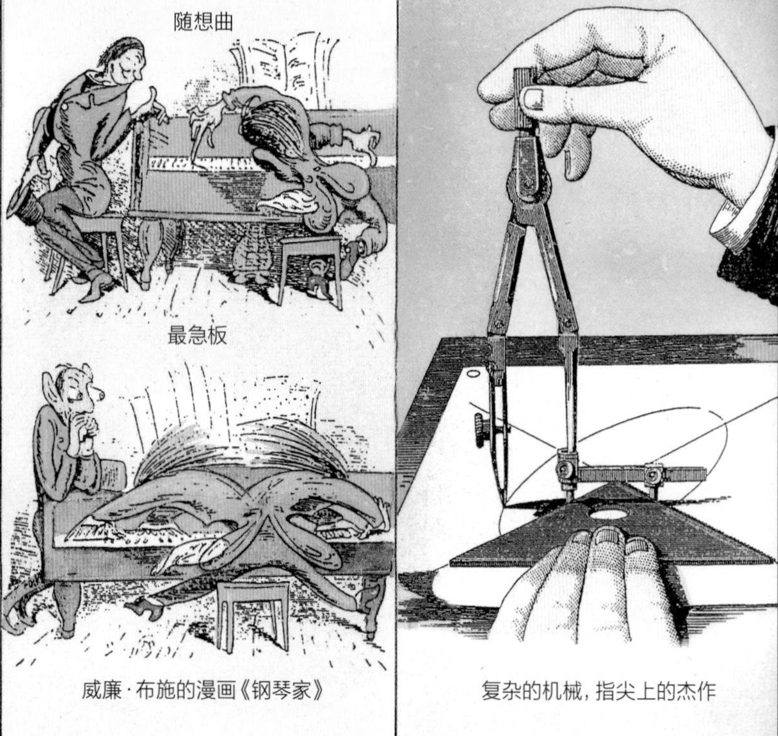

威廉·布施的漫画《钢琴家》

复杂的机械，指尖上的杰作

火的使用

没有一只类人猿或其他动物会使用火，唯有人类在大约70万年前就掌握了它。我们的祖先主要用火来加工食物，而不是取暖。因为汗腺的演化和面部鼻骨的挺起在200万年前就已经开始，所以人类毛发的退化与使用火没什么关系。相反，科学家们认为人类牙齿的退化倒是多少和火的使用有关，因为煮熟的食物不需要使劲咀嚼。有趣的是，牙齿的退化比4万年前狩猎工具的迅猛发展早得多。随着我们祖先狩猎水平的不断提高，含有更多蛋白质且更柔软的食物又进一步加速了牙齿退化的过程。火的使用为我们后来的能源开辟了道路：从火药、蒸汽机车、马达到我们尚未完全掌握的原子能。

牙齿的退化

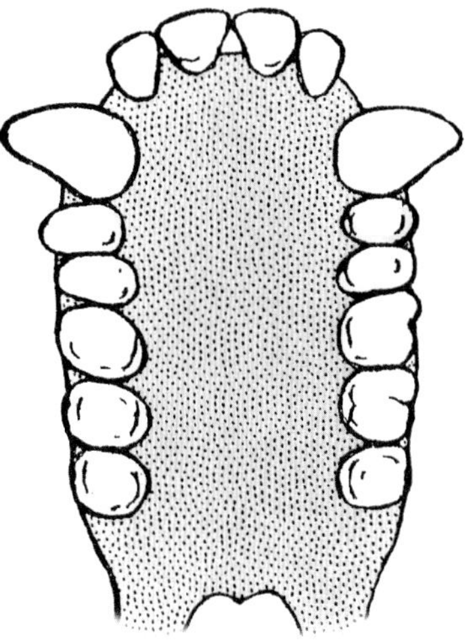

大猩猩的上颌牙床

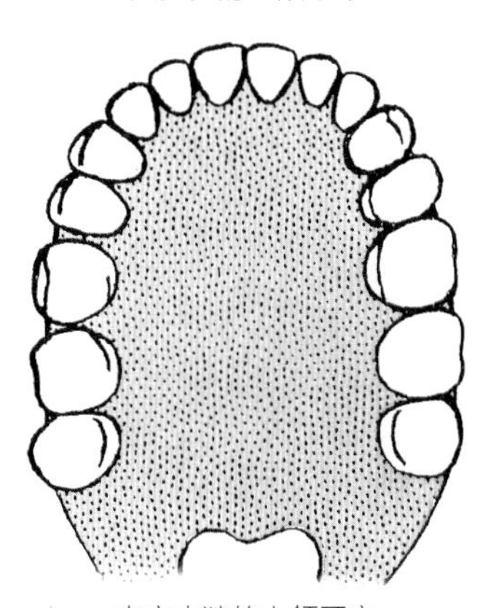

南方古猿的上颌牙床

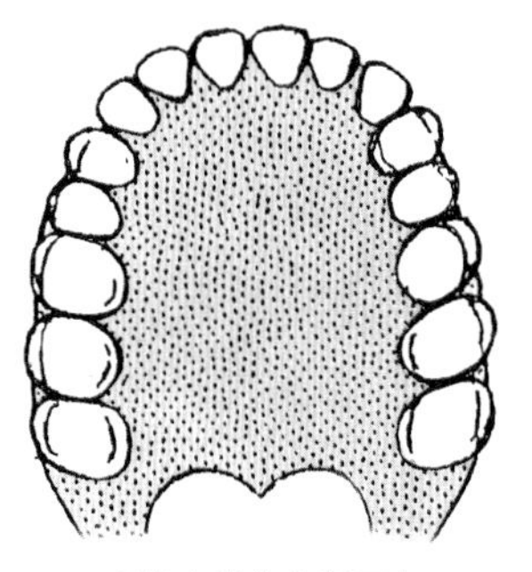

现代人类的上颌牙床

最强大脑

大脑演化发展的一项重要指标来自其重量在体重中的比例，这由一个生物学参数（脑体比例）来确定。这个参数值越大，大脑也就越发达：如果设定大猩猩的平均数值为1，黑猩猩就是2，南方古猿在1.5到3之间，直立人大约是4，而今天的人类则达到5.5。

但这还不是智力水平的决定性因素。除大脑容量外，大脑皮质部（即大脑灰质）和大脑其他部分的比例也有重要影响。人类大脑的逐步演化过程还可以和孩童的大脑发育类比。刚出生的婴儿大脑重约350克，5岁时就达到约1300克，相当于成人大脑重量的90%。孩子也正是在4到5岁时出现较复杂的行为举止，这是精神、理智和人格发育的前提条件。今天人类的大脑皮质已经超过类人猿30%！这超出部分的发育是演化过程中现代人类出现的决定性一步，也是语言、文化和社会的基本前提。

颅骨则经历了不同的演化阶段：颅骨侧面逐渐挺立。直立人和几乎完全食肉性的尼安德特人的眶上眉骨显得非常发达，但它在现代人类中已经退化。

比较不同灵长类动物和人类的颅骨发育可发现：人类颅骨基部显著下沉，枕骨大孔的位置也相应改变。脑容积因此增加。

脑容积 毫升（ccm）

人类 1500 ccm

直立人 1000 ccm

大猩猩 750 ccm

粗壮南方古猿 500 ccm

黑猩猩 480 ccm

1500 1250 1000 750 500 250

30 35 40 45 50 55 60 65 70 75 180

体重（千克）

颅骨前视，后视对比图

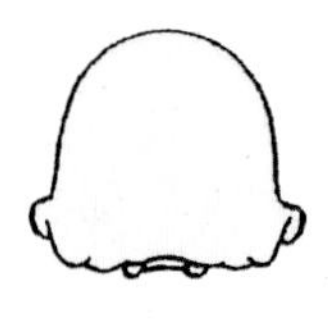

非洲南方古猿

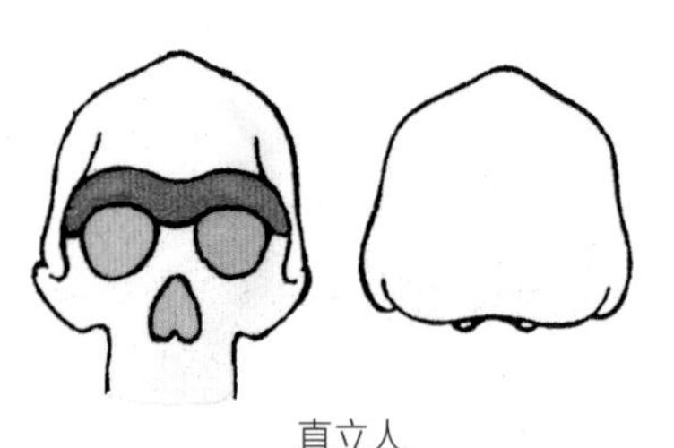

直立人

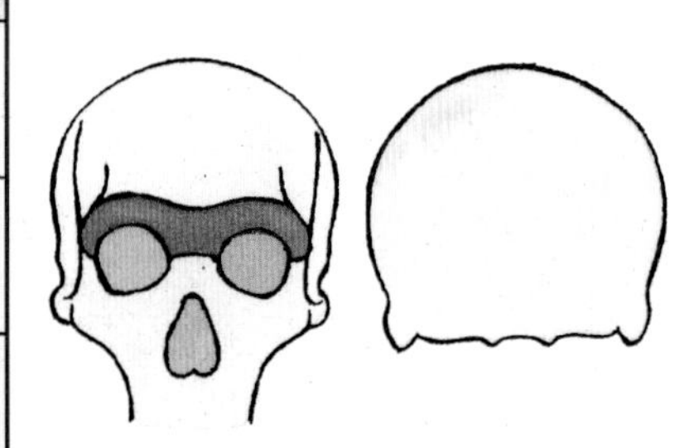

几乎完全食肉性的尼安德特人

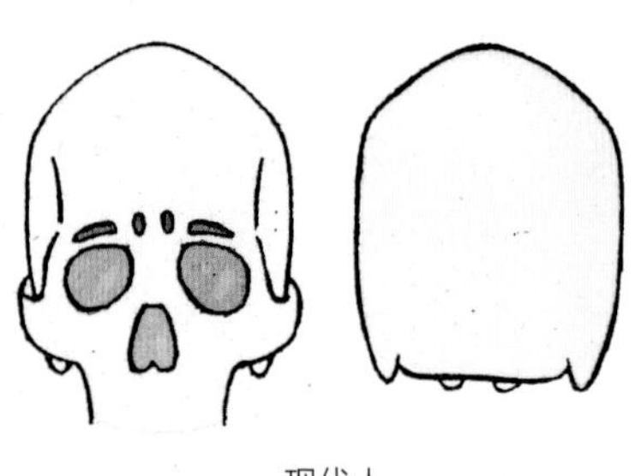

现代人

侧视图

红色部分显示出颅骨基部显著降低而增加的空间。箭头表示枕骨大孔的开口位置。

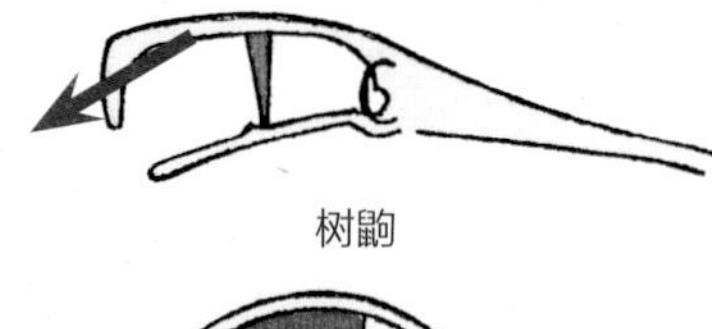

树鼩

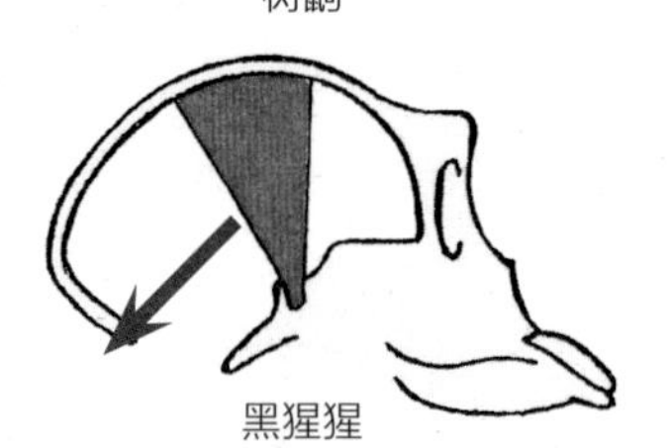

黑猩猩

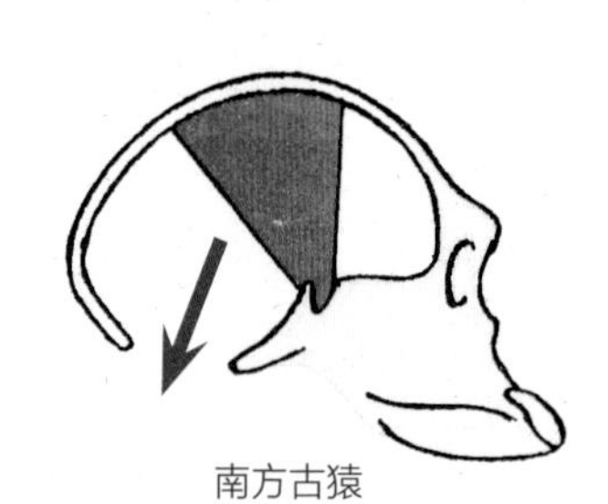

南方古猿

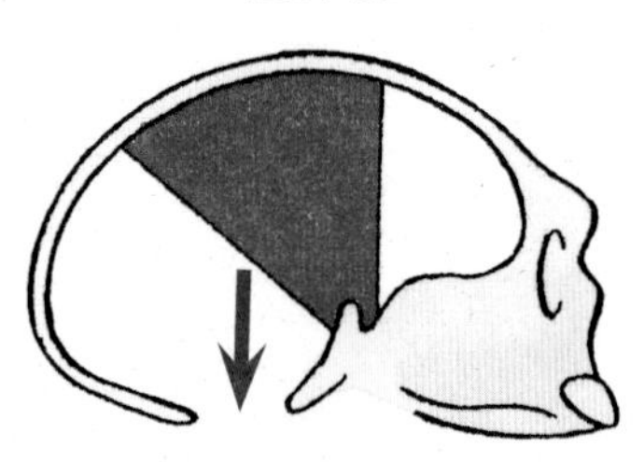

直立人

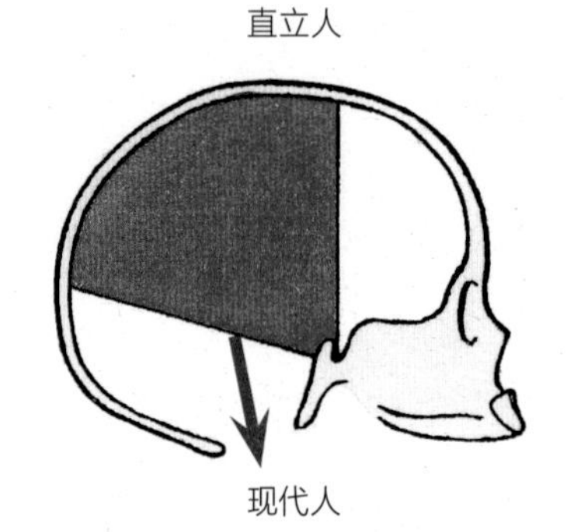

现代人

从鱼类前脑到人类大脑的演化

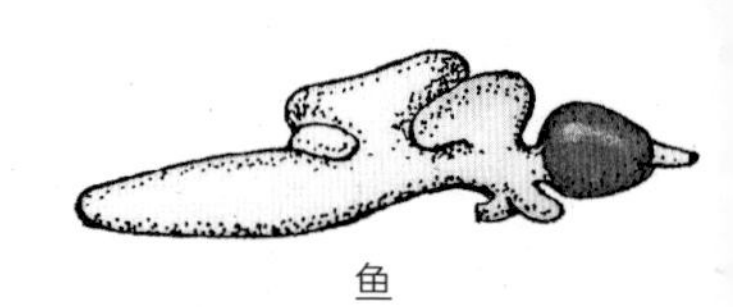

鱼

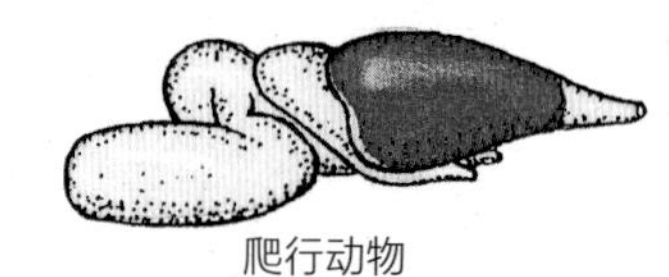

爬行动物

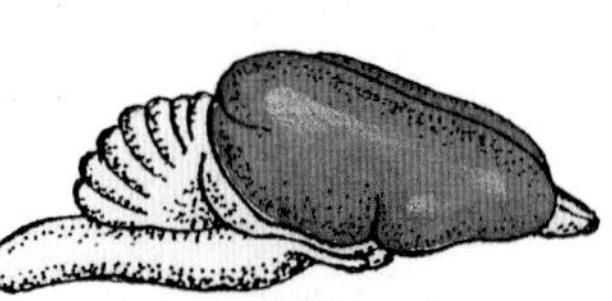

鸟类

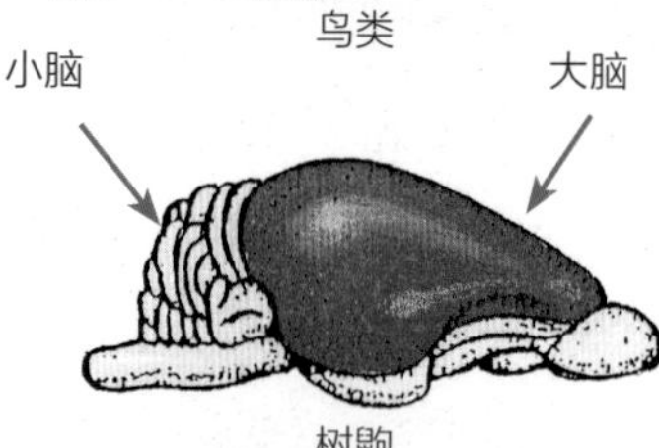

树鼩

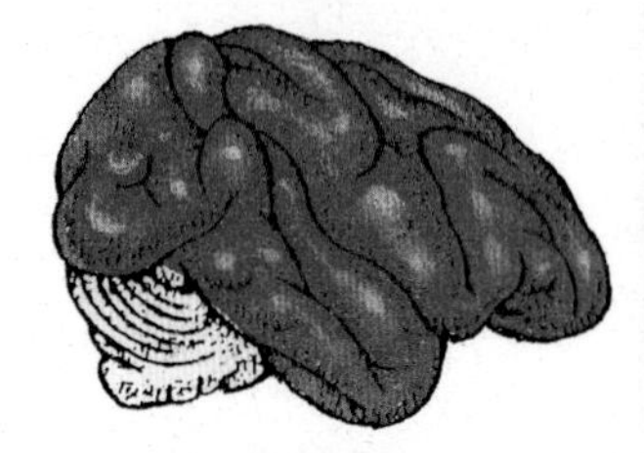

猕猴

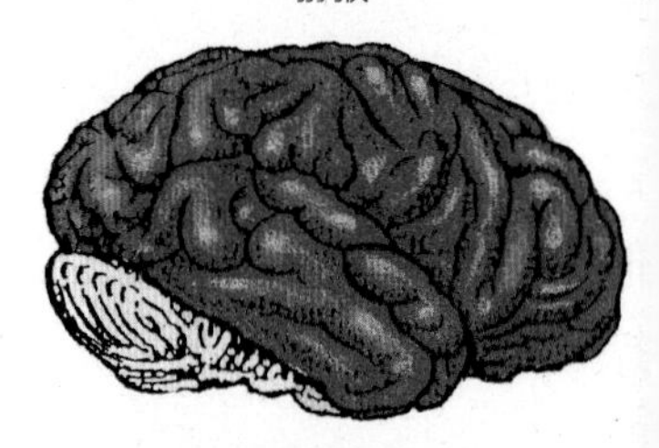

黑猩猩

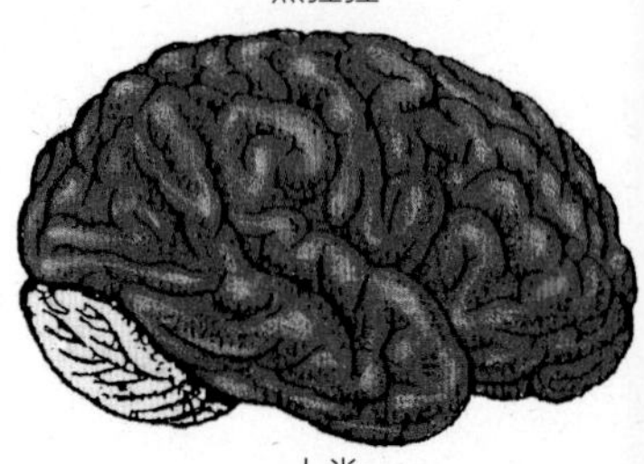

人类

人类的语言能力

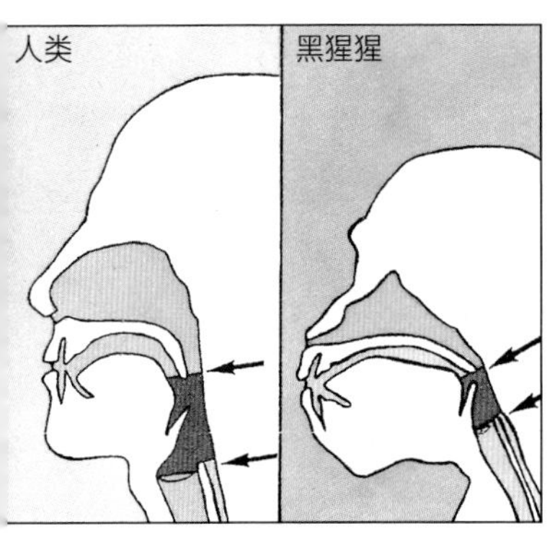

不同的共鸣腔（红色区域）

在人类和黑猩猩头骨的纵剖面图中，红色部分标记出由嘴、鼻子和咽喉构成的共鸣腔。如图中两个箭头所标识出的范围所示，黑猩猩的共鸣腔远远小于人类。所以长期以来，人们认为这就是黑猩猩缺乏语言能力的根本原因。基于科学家的最新发现，这种看法被证实是错误的。类人猿不会说话，是因为它们大脑皮质里缺乏支配语言的中枢神经。它们能发出类似元音的声音，这是通过中脑控制的。在比较人类和黑猩猩的大脑结构时，人类大脑皮质（大脑灰质）部分明显大得多。其上的“布洛卡氏卷曲结构区”正是人类的运动语言中心。直立人头骨化石内部的骨质凹处显示，他们的大脑里已具备布洛卡氏卷曲结构区。

布洛卡氏区是人脑的运动性语言区，下图为其横截面图

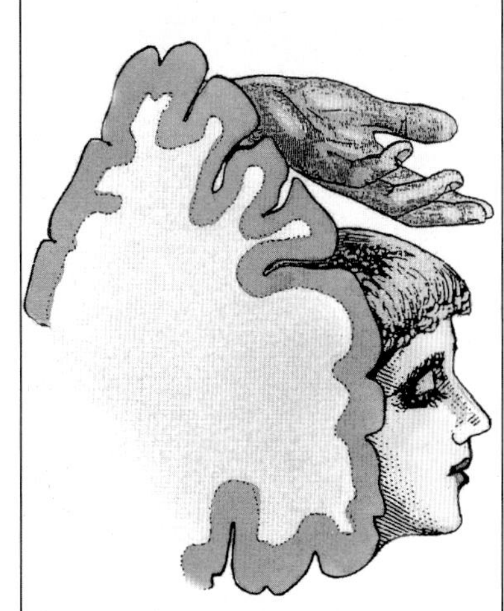
我们大脑皮质中用于控制语言和手的部分就达70%。

喉咙、舌头、面部和手部的肌肉仅占人体骨骼肌总量的5%，但却连着大脑皮层70%的运动神经。每秒钟能吐出15个音节的语言能力更是人类的最高“运动成绩”。另外，说话还不影响我们同时从事其他活动。手的精细运动能力以及语言能力是人类大脑的功劳，是类人猿不可能掌握的东西。

我们观察幼儿从1岁到5岁语言能力的逐渐进步，就会更清楚地理解，语言不仅是语音，也包括表情交流。这意味着在瞬间就有上亿个神经细胞（神经元）“联网”并积极活动。所以孩子们需要较长一段时间才能学会说话也就不奇怪了。互联网传播信息速度的日渐加快，以及虚拟世界对我们大脑的影响，必将带来演化上的后果。

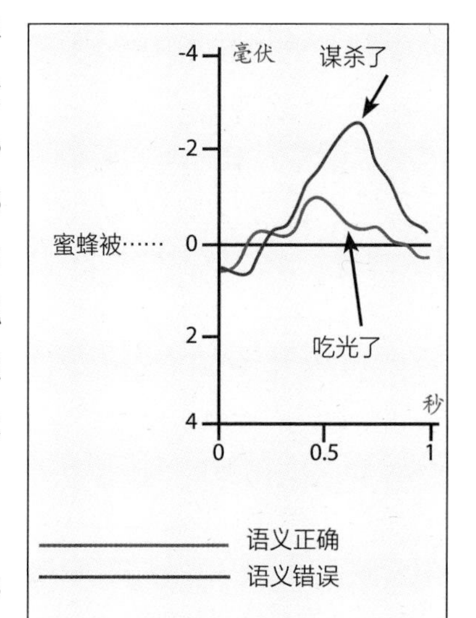

语义正确（绿线）和语义错误（红线）的句子引发了大脑不同的神经电位。正因此，我们的大脑能判别什么是胡言乱语。

学习语言需要很早开始，并长期训练。

人类 布洛卡氏卷曲结构 顶叶 额叶 枕叶 小脑 颞叶
黑猩猩 额叶 顶叶 枕叶 小脑 颞叶

布洛卡氏语言区：我们拥有语言能力的前提

“会手语”的猩猩

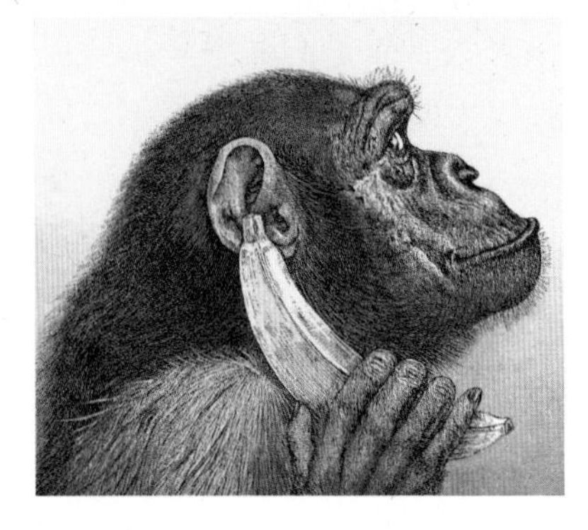

黑猩猩通常用非常丰富的手势和表情来传情达意。“猩猩语”不是靠说，而是通过视觉信号来传达。到目前为止，人们已经能解读黑猩猩500多种信号的含义。

在科学实验中，黑猩猩和倭黑猩猩[❷]经过长期训练后都能学会点聋哑人的手语甚至图形文字，即所谓的表意文字（比如埃及象形文字），能在一块钢板上用小磁铁片组合出有意义的字母。一只著名的倭黑猩猩“坎兹”能用电脑打出250多个符号，并和研究者交流。它能理解“猫吃老鼠”和“老鼠吃猫”这两个句子之间的区别。甚至有初步迹象表明，倭黑猩猩能懂一点英语。

通过对大脑的解剖和比较、对类人猿行为学上的语言实验以及对黑猩猩表情语的研究，我们获得了全新的认识：

- 人类和黑猩猩都可以通过学习掌握读和写。人身上这种能力自然优秀得多。
- 黑猩猩也能在笔头上学会对它来说陌生的人类语言。
- 这种学会读和写的能力，人们称之为**读写能力**。这是黑猩猩和人类从共同祖先那里遗传而来的。从生物的演化进程看，它至少有500万到700万年的历史。
- 黑猩猩和人类在读和写时很有可能使用大脑中的同样区域。
- 和黑猩猩相比，人类读和写所需的大脑视觉和听觉控制区域结构更加紧密，而且通过神经束获取了更为活跃的功能联系。
- 大脑上控制听觉的“**大脑40区**”在人类演化过程中不断发展，从而形成语言中心，这是类人猿所没有的。
- 该脑区逐步演化的过程从200万年前开始，并且持续了好几十万年。
- 因此我们可以推测，直立人以及所有智人属的种类包括尼安德特人都会说话。
- 相对而言，人类的书写能力演化要晚得多。最古老最著名的苏美尔楔形文字即由图形文字发展而来，它出现在约公元前3000年。
- 众所周知，爱斯基摩人以及巴西的亚诺马米印第安人这样的土著居民直到今天都没有发明出文字系统，因为他们的文化中并没有这种需求。
- 在早期文明高度发达的美索不达米亚、印度河流域和中国都发明出很有体系的语言文字。苏美尔楔形文字的内容几乎只有经济、管理、税务方面的主题和法律条文。这套文字促进了人与人之间的交流。

黑猩猩能认出照片上的同类，并能用电脑上的字符给照片编入正确名字

苏美尔楔形文字

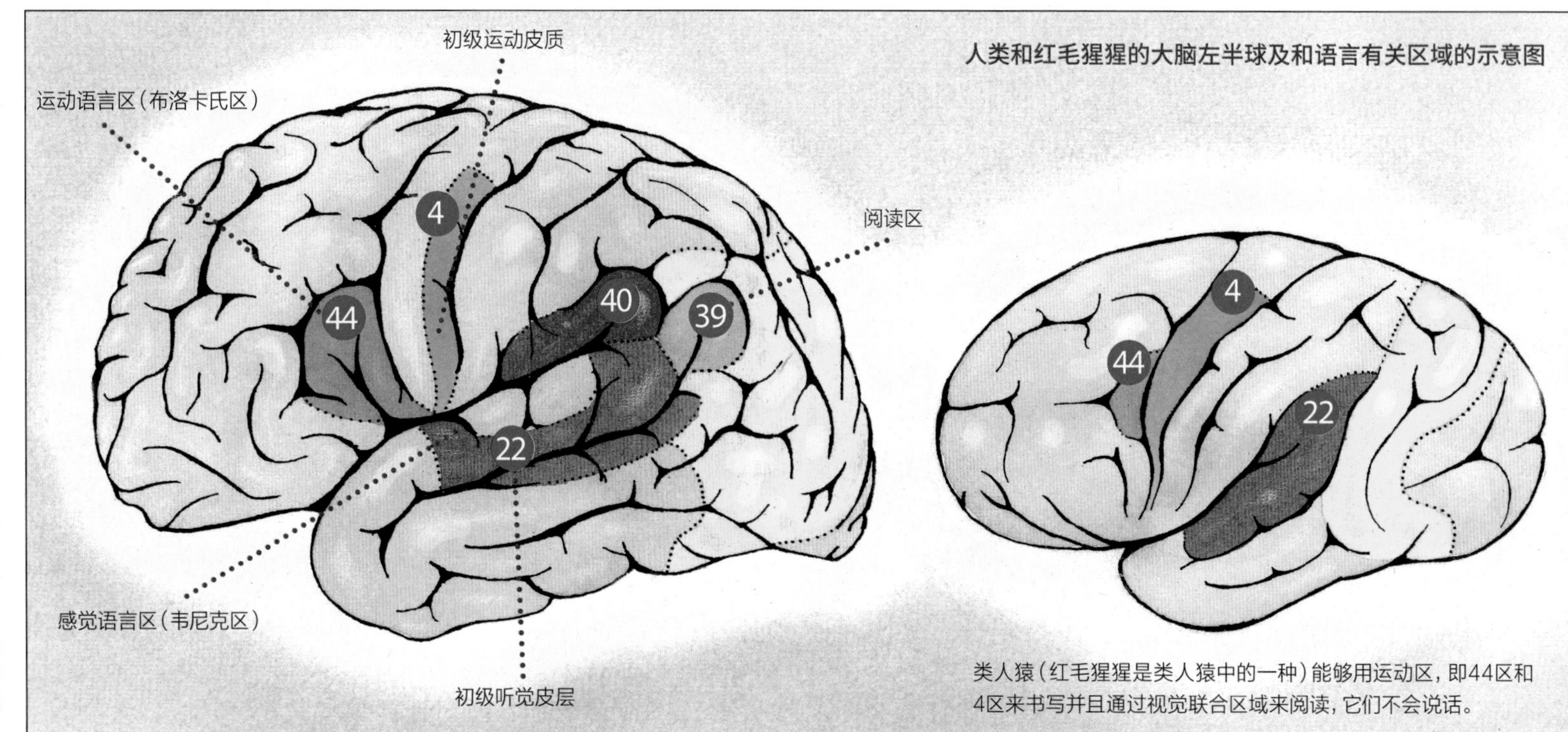

人类和红毛猩猩的大脑左半球及和语言有关区域的示意图

类人猿（红毛猩猩是类人猿中的一种）能够用运动区，即44区和4区来书写并且通过视觉联合区域来阅读，它们不会说话。

❷ 倭黑猩猩（Pan paniscus），又名侏儒黑猩猩、巴诺布猿，是黑猩猩属下的两种动物之一，它们的DNA中有98%以上和人类相同，比大猩猩更接近人类，濒临绝种。

只有人有自我意识

严谨的行为生物学和现代脑科学试验显示，黑猩猩和倭黑猩猩接受训练后能达到4岁孩子的智力水平。让我们暂且把这个孩子叫作托马斯。和我们的托马斯一样，这两种类人猿也能认出镜子中的自己。人们是怎么知道这一点的呢？他们在黑猩猩的额头上点上一个红点，并观察到它在镜子前试图将红点抹去的行为。海拉布伦动物园的5岁黑猩猩米奇当然还做不到这点，毕竟它不是最“聪明”的。不论它额上的点是红是绿，它站在镜子前都一样茫然无措。显然，这是因为它还不够大，或因为之前没有接受过相应训练。

当然，这种层面上的自我认识并非通过思考得来。

无论托马斯或米奇都不具备思考自己生存状况以及做出自我评价的能力。两者都对自己有朝一日的死亡一无所知（当然，它们在面对死亡的那一刻会害怕），也不知道时空在自己这个物种诞生前早就已经存在。一位美国女学者称，她和雌性大猩猩科科曾一起交流过死亡的问题，尽管这一说法像大象墓园的神话一样经常被媒体炒作，但还未经严谨的科学研究证实。托马斯和米奇也许能对至少24小时内的过去和未来进行思考，但绝对还没有对其一生做出规划的想法。

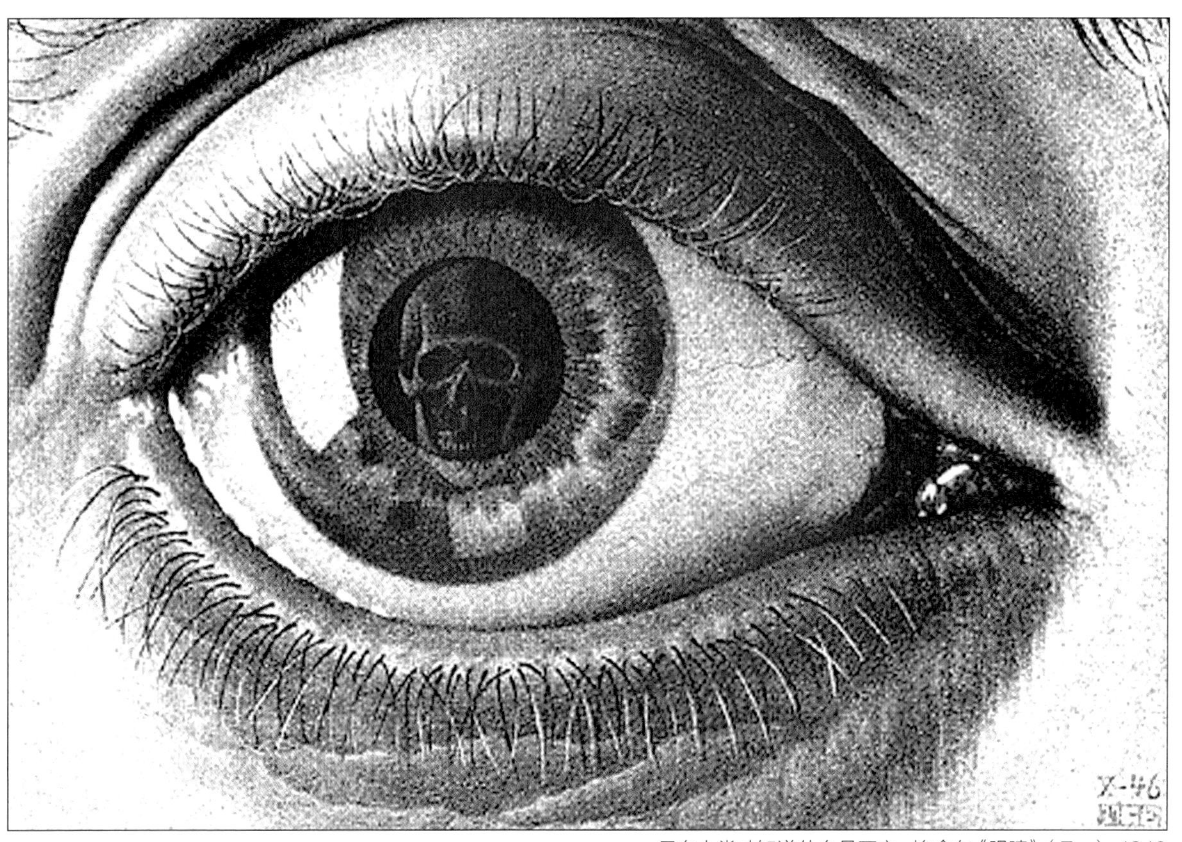

只有人类才知道什么是死亡。埃舍尔《眼睛》（*Eye*），1948

白雪公主恶毒的后母问道：“镜子，镜子，谁是这个世界上最美丽的人？”这样的问题托马斯和米奇可提不出来，更别说由此引发的谋杀计划了。托马斯只有再长大些后，才能在他人意识介入下对自己的想法进行思索和评价，从而在自我意识中形成一些像苏格拉底那样的基本哲学命题：“认识你自己”“我知道我一无所知”，或如笛卡尔所说的“我思故我在”。即使年老的黑猩猩也不可能有这样的认识。正是这种有反思能力的自我意识才使得人成为有智慧的生命个体，而动物永远做不到这点。这也是道德、艺术、文化、信仰、宗教、科学、传统和哲学的基础，以及人类社会不断发展进步的前提。

在动物分类学系统中，人类和猿类之间相隔一个无法衡量的巨大空白。如果林奈（现代生物分类学和系统学奠基人）通过动物自身的幸福感和舒适感来为地球上所有动物排序的话，好些人的位置估计要排在磨房毛驴或猎犬后面。

“精密的眼睛”
step by step

“我一想到人类的眼睛，不由地打了个冷战。”

这是查尔斯·达尔文的一句发人深省的名言：仅仅通过自然选择和基因突变能产生像人眼这么复杂的器官吗？我们今天根据“宏观演化”的原理知道，哺乳动物眼睛演化不可能一蹴而就，而是通过一步一步朝着有利于完善眼睛的目标进行选择的。下面就是每一个步骤：

a. 我们从摄影中就已经了解到感光的无机化学反应过程，银盐分解，染黑胶片。

b. 单细胞的有机体能形成感光色素，从而具备向光或背光运动的能力。

c. 多细胞有机体在身体的最前端集结“光感细胞”，使向前运动成为可能。

d. 为了避免冲击，“光感细胞”离开表面而在感觉上皮的下陷区域聚集；原始的窝眼出现；简单的方向判断和移动成为可能。

e. 接受光线的开口越小，视物越清晰。“针孔成像眼”于是产生，并且继续发展。

f. 为防止异物入眼，开口处覆盖透明组织（胶质、透明膜体）。

g. 由此产生了由肌肉操纵的聚光透镜，最大限度地调整光线和图像的清晰度。

人类的眼睛既不是作为完整器官一下子产生的，也不是通过很多次基因突变的步骤形成。它的形成最终得益于视物和保护双重功能的互相补充及并行发展。只有考虑到双重或多重功能，我们才能理解宏观演化过程。

宏观演化指较长时间跨度的演化过程，例如人类与已灭绝祖先的关系。宏观演化的历史中可能包括生物群在化石纪录中的突然出现、消失、物种长期停滞等难以解释的现象。

人类眼睛的截面图

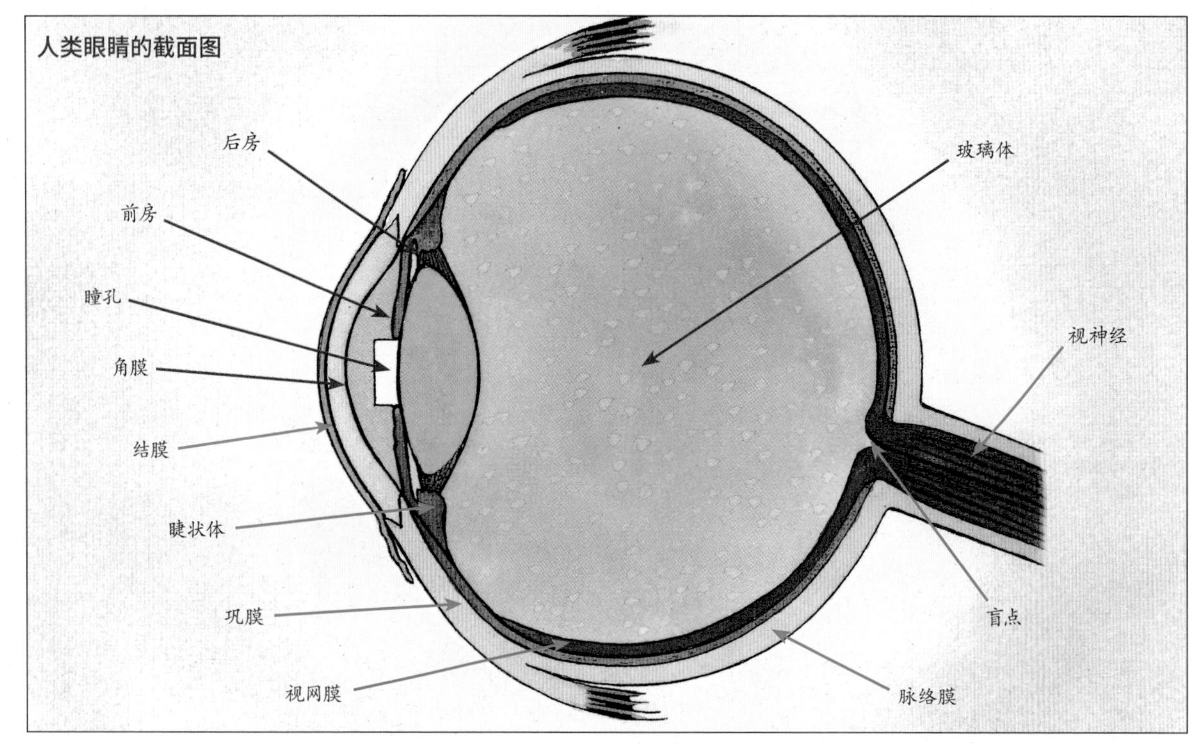

墨鱼和哺乳动物的眼睛具有惊人的相似性。
在演化过程中，通过至少40条不同途径各自独立地“发明”了眼睛。

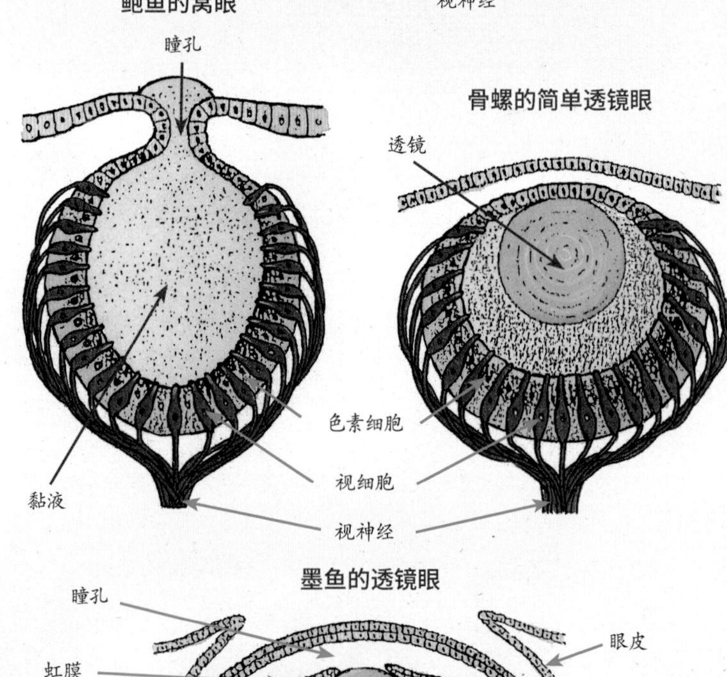

我们往哪儿去？

人类的进步

埃里希·卡斯特纳（Erich Käsatner）

起初，这些家伙蹲在树梢，
面目丑陋，浑身长毛。
后来，这些家伙离开原始森林
给世界铺上沥青，把楼房
建到三十层高。

这些家伙有模有样，
端坐在有中央空调的屋里，逃避虱子，
在电话里，
发出和在森林里
一样的聒噪。

他们听得更远，看得更多。
能感觉到整个宇宙。
他们开始刷牙，呼吸也变得摩登。
地球成了一个有教养的星球，
到处都有抽水马桶。

这些家伙用电发出信件。
杀死或养殖微生物。
他们把自然变得越来越舒适，
甚至直飞到天上
在上面待上两周。

就连他们消化的残渣，
都能被制成棉花。
让原子裂变，控制不道德。
他们还能从艺术作品里证明，
恺撒患有扁平足。

这些家伙用头脑和嘴巴
带来人类的进步。
除开这些，在灯下细细端详，
他们终究
不过是群老猴子而已。

黑猩猩　冰人　智人　埃里希·卡斯特纳　明天的克隆人？

炎热的夏天没有一缕风
有只白蝴蝶将翅膀轻轻扑动；
无论风被怎样用力扇
也带不来一丝凉意。

弗里德里希·黑贝尔（Friedrich Hebbel）

附录

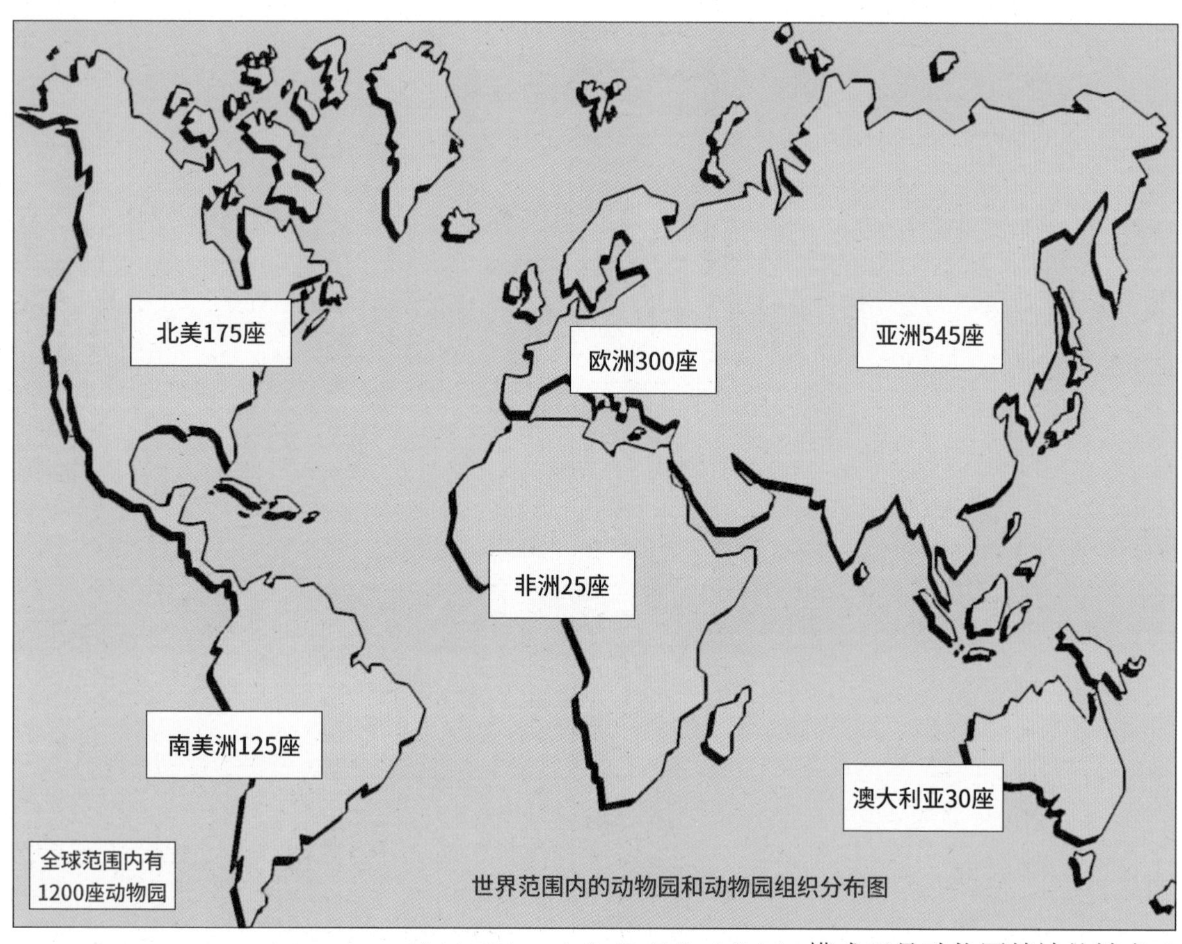

世界范围内的动物园和动物园组织分布图

未来的动物园

早在具有高度文明的古埃及和亚述帝国时期，人类对野生动物的保护就已经通过一些精美的图画表现出来。暂且不谈其背后蕴含的宗教习俗和文化，在两千年前，饲养野生动物实际上是为了彰显高贵身份。随着19世纪的社会政治变革，封建政府放宽了政策，从而使野生动物也进入市民生活。大约两百年前，动物展场应运而生，它们是现代动物园的雏形。它的时代精神体现在尽可能拥有丰富多样的物种（如里尔克的《豹》⊙）。20世纪以来，由于人们的生态环境保护意识逐渐加强，同时也因为人为因素曾造成大量物种消亡，所以全新的自然保护和动物园管理意识开始占据主导地位。这种意识放弃了过去动物园一定要包罗万象的想法，而是将动物看作大自然的生灵，并尽可能为它们营造一个自然的生活空间。卡尔·哈根贝克“微缩立体生境（Diorama）”模式正是动物园精神的转变，从而宣告了一个新动物园时代的到来，这样的动物园让人类及动物都从中受益：濒临灭绝的物种被宣告为全球自然遗产加以保护，全世界范围内的养殖合作保证了必要的保育策略。人们粗略估计，当前全世界约有100万只动物在1200多家有组织的动物园里安家落户，其中主要是高等脊椎动物。濒危物种的数量正慢慢回升。正是以此为依托，动物园在过去20年里出现了重大创新，这样的方法即使在21世纪也同样适用。动物园将通过大量重新引种项目直接并积极地参与现代自然和环境保护。动物园以其不可替代的生物资源加入国际化的自然保护组织的工作中去，如世界自然保护联盟（IUCN）、联合国环境规划署（UNEP）、世界自然基金会（WWF），从而形成一个正如世界自然保护联盟所倡导的人类和动物都受益的良性循环：“动物园和野生自然界可以通过频繁的交流达到优势互补。”国家公园或自然保护区长期策略的基本前提是，野外研究也可以从动物园经营的知识中获得有用信息。从曾经的动物展场发展到今天高度完备、全球联网，并建立在科学基础上的现代化动物园，它们对于自然和环境保护有着强大的责任意识，并将之作为自身继续发展的准绳和方针。

每年全世界所有动物园游客数量估计至少有6亿，几乎相当于全世界人口的10%。没有哪一个机构能够接触这么多公众，能更好地宣传自然保护，并能从这样庞大的受众出发，呼吁大家加强对自然和环境的保护。动物园里活灵活现的动物们展示了自然保护的思想和意义，从而进一步强化人们的自然保护意识。因此成功的动物园教育是一个有责任感的动物园的首要任务，它能对自然保护做出非常积极重大的贡献。动物园传达出的科学知识和自然教育的内容越多，那么成长出来的下一代则对自然的理解越深、爱护越多。大家手上的这本书如果能为这件事贡献出一点微薄之力，我们将会感到异常欣慰。

⊙ 德国诗人里尔克1903年的著名诗歌《豹——在巴黎动物园》。

2011—2014年德国各地动物园年度游客量

动物园	年度游客量
奥格斯堡	60万(2014)
柏林动物园	306万(2013)
柏林自然动物园	106万(2013)
德累斯顿	89万(2014)
法兰克福	87万(2014)
汉堡	170万(2011)
科隆	154万(2012)
莱比锡	184万(2013)
纽伦堡	107万(2014)
慕尼黑海拉布伦	228万(2014)
斯图加特	236万(2013)
伍珀塔尔	51万(2013)

19世纪

动物展场

主题

系统分类学

重点

动物王国的多样性，适应性

研究

如何饲养和繁殖特定动物种类

展示方式

笼子

20世纪

动物园

主题

生态学

重点

动物及其生存环境

研究

合作繁殖项目

展示方式

微缩立体生境

21世纪

自然保护中心

主题

自然和环境保护

重点

生态系统和重新引种

研究

介入自然保护

展示方式

在生态系统中展示

几年以来，动物园的游客们常常在园区里惊讶地发现一些奇怪的柴草堆，它们中还渐渐生出不同的植物来。这是由从事园林管理的赫尔曼和海因里希·本杰士兄弟发展出的一种野地生存观念，这些柴草堆被称为本杰士堆，本杰士堆通过生态化过程重建生存空间。

在慕尼黑动物园里，这种观念得到进一步优化，比如把狗蔷薇或者接骨木类野生植物的根系用枯树枝堆保护起来，以免被吃掉。这样，穆霍尔瞪羚或者袋鼠们在津津有味地啃食植物叶片时也不用担心植物被完全破坏。

科学研究表明，适应这种小生态环境的脊椎动物超过40多种，其中不乏濒危物种，如水游蛇或伶鼬。它们能在此找到食物和藏身所，就像以前在荆棘和灌木丛中一样。

这种在园林中新出现的岛状小堆不仅能起到装饰的作用，更提供了各式各样的保护，小动物们转眼就能消失在小堆里。动物们常常啃食堆里的枝叶或在上面做个标记，鸟儿也开心地前来找昆虫吃。

本杰士堆也是斑鬣狗最钟爱的休息和睡觉场所，它们很清楚如何借此宝地来隐藏自己。本杰士堆以非常自然的方式为丰富动物园中的生态环境贡献了一份力量！即使在自家花园和停车场，构建一个这样廉价、高效而又意义非凡的本杰士堆也不失为保护自然的好主意！

动物园的本杰士堆还有什么用？

在慕尼黑动物园随处可见小丘一样隆起的小堆，这里也是小鹿瞪羚安家的地方——一个由本杰士堆营造出的生活环境，取代了网状篱笆、栅栏或沟渠。无数的狗蔷薇更将它掩藏得密密实实。春天，这里给很多昆虫提供食物；到了秋天，果实又能让鸟儿大饱口福。本杰士堆还能代替无论是修建还是维护都代价高昂的水渠，在动物和游客间架起天然的生物屏障，同时还完全不阻碍人们的视线。

我很想知道，
动物看着我们
会不会
在想：“瞧，这个人！”

斯坦尼斯拉夫·勒克（Stanislaw Jerzy Lec）

人类应该知道：世界上除了大象，没有人需要象牙

No One In The World Needs An Elephant Tusk But An Elephant

湖 岸
Hu'an *publication*

出 品 人_唐 奂
策划编辑_张 芳
产品策划_景 雁
责任编辑_卜凡雅
特约编辑_王 迎 张 瑾
营销编辑_张怡琳
封面设计_裴雷思
美术编辑_崔 玥 韩雨颀

@huan404
湖岸 Huan
www.huan404.com
联系电话 _ 010-87923806
投稿邮箱 _ info@huan404.com